MÉMOIRE D'UN CROYANT

Henri Groues, dit l'abbé Pierre, est né en 1912 à Lyon. Après des études chez les jésuites, il entre chez les capucins sous le nom de frère Philippe. Il est ordonné prêtre le 24 août 1938 puis devient vicaire à la basilique Saint-Joseph de Grenoble un an plus tard. Mobilisé comme sous-officier en 1939-1940, il participe rapidement à la Résistance : après la rafle du Vel' d'Hiv à Paris en 1942, il accueille des juifs rescapés, organise leur transfert vers la Suisse et monte un laboratoire de faux-papiers. Il ouvre peu après, dans le massif de la Chartreuse, un refuge qui deviendra un lieu de combat pour jeunes gens réfractaires au service du travail obligatoire en Allemagne. En mai 1944, il est arrêté par l'armée allemande mais s'évade par l'Espagne pour gagner Alger ; là, il fera la connaissance du général de Gaulle.

De sa rencontre avec Lucie Coutaz fin 1942 naîtra une collaboration de trente-neuf ans mais surtout la communauté Emmaüs qui aide les familles sans logis. Tandis que l'association crée d'autres antennes, l'abbé Pierre lance un appel lors de l'hiver terrible de 1954 et obtient le soutien du Parlement pour réaliser dans l'urgence douze mille logements à travers la France. Cet épisode sera repris dans le film *Hiver 54* (1989) avec Lambert Wilson dans le rôle principal.

À partir de 1955, l'abbé Pierre entreprend de nombreux voyages notamment aux États-Unis, au Canada, en Inde, en Amérique du Sud, au Liban, au Sénégal, en Corée... Il rencontre alors plusieurs personnalités : Einstein, Eisenhower, Nehru, le Dalaï-Lama et multiplie les communautés Emmaüs. Lors de son voyage au Maroc, le roi Mohamed V lui demande de reconstruire les bidonvilles ; l'IRAMM (Institut de Recherche et d'Action contre la Misère du Monde), créé peu avant par l'abbé Pierre, puis devenu l'IRAM (Institut de Recherche et d'Application des Méthodes de développement) en 1957-1958, se chargera des travaux pendant plusieurs années, faisant de même dans d'autres pays.

En 1969, la première assemblée générale d'Emmaüs international est organisée à Berne. Deux ans plus tard, l'abbé Pierre apporte son soutien aux camps de réfugiés bengalis en Inde, crée l'association « Peuples solidaires ». En 1984, avec l'Armée du Salut et le Secours catholique, il lance la Banque alimentaire en France. En 1990, il participe à l'élaboration de la loi Besson pour le logement des plus défavorisés et mettra toute son énergie à défendre leurs droits (jeûne avec les « déboutés du droit d'asile » ; soutien aux familles squatters du quai de la Gare à Paris en 1991, avec l'appui d'Albert Jacquard et de Léon Schwartzenberg).

L'abbé Pierre a été décoré de la Légion d'Honneur, de la Croix de Guerre avec palmes et de la médaille de la Résistance.

Il est l'auteur du *Mystère de la Joie*, drame sacré représenté en France en 1986.

ABBÉ PIERRE

Mémoire d'un croyant

FAYARD

Prologue

Au crépuscule de ma vie, j'éprouve trois besoins impérieux.

Celui de confier ce qui a été, je le sais, l'*essentiel* de mon existence, en laissant s'entremêler faits anciens et récents.

Le besoin aussi de dire merci pour tout ce qui m'a été donné. Quant à ce que j'ai reçu de plus précieux, je le dois à trois sources qui ont irrigué ma vie intérieure : le peuple juif, qui, par son livre saint, la Bible, m'a appris à croire en Dieu Unique, Juste et Miséricordieux ; l'Église, qui m'a donné la certitude que l'Éternel est Amour et ne cesse de se manifester parmi nous ; Emmaüs, où, vivant avec les plus meurtris par la vie, j'ai le plus intimement rencontré Jésus-Christ.

Enfin, pourquoi le taire, le vieillard, après tant de colères, de luttes et de polémiques, aspire de plus en plus intensément à la réconciliation et à la paix. Comment, au cours d'une si longue existence, aurais-je pu, malgré mes efforts sincères de vivre l'amour et la vérité, éviter de blesser des personnes que pourtant je ne cessais de respecter et d'aimer ? Et en retour, comment n'aurais-je pas reçu moi aussi des coups cruels ?

Puissions-nous, les uns les autres, à notre dernier jour, dire humblement à Dieu et à nos frères : *Pardonnez-nous comme nous pardonnons*.

Mais ce livre s'est imposé d'abord comme une exigence à la suite de la visite d'un désespéré m'interrogeant sur mes raisons de vivre.

Par lui, j'ai été conduit à me remémorer ce qui a constitué, tout au long de ma vie, le cœur de ma foi et de mon espérance.

Puisse ce livre apporter une réponse à cet inconnu, et, au-delà de lui, à tous ceux qui, aujourd'hui plus que jamais, s'interrogent sur le sens de la vie.

Abbé Pierre

Je tiens à exprimer toute ma gratitude à Frédéric Lenoir qui, par son soutien amical et ses précieux conseils, a rendu ce livre possible.

PREMIÈRE PARTIE

Des aigles blessés

Chapitre 1

La joie des larmes

L'été dernier, une lettre m'est arrivée d'un inconnu : « Je suis hanté par l'idée du suicide, m'écrivait son auteur. Je n'ai aucune connaissance spirituelle. Je vous demande de me recevoir avant que je cède à ce qui me hante, simplement pour me parler des joies de votre vie. »

Mon embarras fut grand. Certes, j'ai éprouvé des joies simples comme quiconque. Durant les six années de ma vie de capucin, cloîtré, lorsqu'il m'était demandé d'écrire, peindre ou dessiner, je signais sans hésiter « frère la Joie ». Un jour où j'étais malade, l'un de mes compagnons glissa sur ma table une de ces miniatures, il avait ajouté à la signature : « frère la Joie des larmes ».

Mais des joies pleines, comme tout humain en rêve aux heures où l'absolu le hante, en avais-je connu ? En trouverais-je méritant d'être dites ? J'éprouvai longuement un sentiment de vide. Qu'espérait l'inconnu qui posait une telle question ? M'étais-je jamais interrogé sur cela ?

Je cherchais depuis des jours lorsque soudain une lumière se fit dans mon esprit, sur un fait vieux de quarante ans. Je n'y avais pas pensé imédia-

tement, car cet événement avait tant saisi mon être
qu'il faisait désormais partie de moi-même.

C'était lors des premiers accueils de ceux qui,
s'arrachant à leur misère ou à leur dégoût d'une
vie sans but, allaient devenir les premiers compagnons d'Emmaüs. Nous étions alors installés à
Neuilly-Plaisance, dans la banlieue parisienne.
Tous les dimanches matin, une réunion se tenait au
cours de laquelle on débattait des secours à
apporter aux plus malheureux que nous.

La réunion finie, je montais au premier étage
dans ma chambre. Je travaillais toujours debout.
J'étais en effet si fatigué que je m'endormais systé-
matiquement quand je m'asseyais. Je tirais deux
tiroirs métalliques de classeurs, je mettais une
planche entre les deux et je travaillais ainsi.

Étant debout, mes yeux plongeaient du premier
étage dans la cour. Et de là, j'apercevais un, deux,
cinq, dix de ces compagnons qui sortaient pour
aller se promener. Une joie immense montait alors
en moi, car ces hommes étaient dignes et soignés,
nul ne pourrait les distinguer, dans la rue, des
notables de la ville. Me revenait alors en mémoire
la sale bobine qu'avait celui-ci, celui-là, quinze
jours ou un mois auparavant lorsqu'il était arrivé
en tremblant : « Est-ce qu'il y aura de la place pour
moi ? » Honteux parce qu'il sentait mauvais, qu'il
n'avait pas pu changer de linge, qu'il avait couché
dehors. Je me rappelais ces êtres abattus, humiliés,
et je les voyais redevenir, comme ils disaient, « des
hommes debout ». Telle est la joie la plus forte qui
m'est tout d'abord revenue à l'esprit.

À peine ce vieux souvenir s'était-il réveillé en
moi que ce fut comme une digue cédant sous la
pression : je fus envahi par d'autres joies, très
intenses elles aussi.

La première fois, par exemple, où, encordé avec une douzaine de juifs traqués par la Gestapo, nous avons franchi clandestinement la frontière suisse.

Cloîtré dans un couvent pendant sept ans, j'étais resté jusqu'à la guerre très ignorant de la montée du nazisme et de l'antisémitisme. Mon milieu admirait Pétain, le vainqueur de Verdun, et je n'étais pas informé des premières mesures de Vichy contre les juifs.

Après la débâcle, je me suis retrouvé prêtre à Grenoble. J'ai découvert que les juifs étaient pourchassés parce qu'une nuit deux d'entre eux sont venus en larmes sonner à ma porte : « Cachez-nous, on a failli être arrêtés. Nous sommes juifs. »

Pas une seule seconde je ne me suis posé la question de savoir ce qu'il fallait faire. J'en ai fait dormir un sur mon matelas, l'autre sur mon sommier, et j'ai fini ma nuit sur un fauteuil.

Le lendemain, j'ai été trouver la supérieure du couvent Notre-Dame de Sion pour savoir quelle menace pesait sur eux et ce qu'il convenait de faire. Elle me dit que son couvent regorgeait de juifs cachés et qu'il fallait absolument les faire passer en Suisse. Je connaissais un itinéraire, mais très haut, à 3 200 mètres d'altitude. Avec l'aide d'un ami guide de haute montagne, j'ai donc organisé des passages clandestins. Après une longue marche, après une nuit passée au refuge Albert-Ier, on atteignait le col puis on entrait sur le glacier du Trient.

Parvenus à la frontière, je leur disais le cœur rempli de joie : « Vous êtes sauvés. Voyez là-bas la cabane, un ami vous y attend, tout est prêt pour vous introduire et vous établir en Suisse. »

Plus tard, j'ai retrouvé tel ou tel d'entre eux. Je me rappelle une fois à Washington un professeur d'histoire qui, à la fin d'une conférence que je donnais, s'est approché et m'a dit : « Vous ne me reconnaissez pas ? » « Non », lui ai-je répondu interloqué. Il me dit alors : « Marcus. » Mon visage s'est illuminé : il était du premier passage.

Je n'oublierai jamais non plus l'intervention de ce rabbin lors d'une conférence publique en pleine campagne électorale sitôt après la guerre. Dans une assemblée houleuse, alors que des adversaires politiques avaient lancé des calomnies contre moi, quelqu'un debout cria : « Laissez-moi dire un mot. » On se rassit et je vis monter sur l'estrade un vieillard en piteux état. Il prit le micro et dit : « Je ne voterai pas pour l'Abbé Pierre parce que je ne suis pas du même bord politique que lui. Mais je ne peux pas supporter les insultes que j'entends. Monsieur l'Abbé vous ne me reconnaissez pas. Je suis le rabbin Sam Job qui vous confiait pendant l'Occupation ses amis en péril. Une nuit, pour l'un d'eux qui devait fuir par la montagne avec un guide de vos amis, voyant qu'il n'avait que des mauvaises savates, vous avez donné vos souliers et vous êtes rentré chez vous pieds nus dans la neige. »

Emus par l'évocation de ce souvenir, nous nous sommes embrassés et la salle ne fut plus qu'enthousiasme. La politique divise, les gestes de solidarité unissent.

Autre souvenir très fort, beaucoup plus connu : dans la bataille que nous menions pour le logement, nous avions demandé un crédit d'un milliard (d'anciens francs) pour la construction de logements d'urgence. On nous avait répondu : « Plus tard. » Ce même jour, un bébé était mort de froid. Puis, à sa suite, une vieille femme en pleine rue, expulsée la veille d'une mansarde pour retard dans le paiement du loyer. Nous avons alors déclenché la tempête médiatique de l'hiver 54. Devant la poussée de l'opinion publique – n'est-ce pas cela la démocratie, que l'opinion publique impose ce qu'elle veut aux élus ? – les députés se sont réunis en catastrophe pour une séance extraordinaire. Un mois auparavant, ils avaient refusé de débloquer un milliard. Ce jour-là, ils ont voté les dix milliards grâce auxquels nous avons fait construire douze mille logements à travers la France !

Quelle n'a pas été ma joie quand Robert Buron et le sénateur Léo Hamon sont arrivés dans mon bureau, exultant : « Ça y est ! Nous avons obtenu dix milliards ! »

Me revint aussi à la mémoire cet homme à qui nous avons bâti une maison. Il arriva un jour, affolé : « Père, ma femme et mes enfants ont disparu ! » On a cherché pendant vingt-quatre heures. Toute la commune s'est mobilisée. Finalement, il est venu me dire : « On les a retrouvés. » La femme était au bord de la Marne, grelottante, les deux fillettes serrées contre elle. Elle était venue pour se jeter à l'eau mais n'avait pas réussi à se décider. Cela faisait vingt-quatre heures qu'elle était là, sans manger, sans dormir, ses deux filles à moitié mortes de froid. Cette pauvre femme attendait encore un bébé. Ils vivaient dans une cave. Il n'y avait ni fenêtre, ni eau, ni cabinets. Ils faisaient leurs besoins dans des journaux et dans des bouteilles qu'ils jetaient ensuite dans la poubelle de l'immeuble voisin. C'était épouvantable. Nous avons construit une petite maison à cette famille.

Bien sûr, nous ne pouvions pas résoudre le problème des sans-logis de la France entière. Mais pour aider ne serait-ce qu'une famille, cela valait la peine d'en avoir bavé, d'avoir sué à ramasser des chiffons ou des vieux journaux, de la ferraille, pour récolter un peu d'argent et acheter des matériaux.

Nous le voyons à travers ces quelques souvenirs : tous ces faits sont dramatiques. Les joies que j'ai vécues survenaient au moment où le drame cessait ou s'atténuait, mais les autres détresses demeuraient.

La rencontre avec mon questionneur dura deux jours, dans la paix du monastère.

Durant ces journées, entrecoupées par les offices chantés des moines, peu de temps à vrai dire fut consacré à l'évocation de ces souvenirs. Mais chaque fois que j'en livrais un, mon interlocuteur comprenait qu'il impliquait tout un choix de vie. Lorsque vint l'heure du départ, il écrivit dans le livre d'or du monastère les quelques lignes que voici : « 28 juillet 1996. Avant d'être venu ici, il m'était difficile d'imaginer ou de rêver que cela fût possible. Cela, c'est le signe que la foi en l'amour de l'homme existe. Elle existe, et on peut la toucher, la sentir, la voir, la respirer, le plus simplement, le plus naturellement du monde, quand on prend le temps de le faire, quand on se donne le temps de le faire. Praglia [c'est le nom de l'abbaye où il était venu] c'est l'évidence de l'amour, c'est l'évidence de ce temps, de cette éternité. Merci. »

Oui, la venue de cet inconnu n'avait pas été vaine.

Plus d'un lecteur, sans doute, doit se demander comment me sont venus à l'esprit les mots à l'aide desquels j'ai intitulé ce chapitre. Certainement par le travail de la mémoire. Les souvenirs de ces réelles et étranges joies jalonnant ma longue vie ne montrent-ils pas que l'être humain est à la fois avide d'horizons et d'espaces illimités, tel un aigle, et contraint en même temps à lutter, incapable d'envol véritable, comme si une blessure l'en empêchait ?

Chapitre 2

Emmaüs

Emmaüs est actuellement constitué de 350 groupements implantés dans 38 pays. En France, on compte 110 communautés rassemblant 4 000 personnes.

Nous avons trois règles. Tout d'abord, nous travaillons pour gagner notre pain (nous refusons, sauf pour les vieillards et les invalides, toute subvention de l'État, de la mairie, de la préfecture). Ensuite, nous partageons : le plus costaud, qui apporte beaucoup à la communauté, n'a pas plus que le petit vieux improductif. Enfin, nous travaillons davantage que ce qui nous suffirait pour vivre afin de pouvoir, nous, les humiliés, les exclus, les marginaux, nous payer le luxe de devenir donateurs.

Nous sommes des pauvres qui donnons par-delà notre indigence. Nous pouvons alors dire aux autres : « Nous, gens de rien, avec ce qui est perdu, en y mettant tout notre cœur, nous parvenons à donner, à sauver. Vous qui ne manquez de rien, qui avez plus que l'indispensable, que ne ferions-nous pas si vous vous y mettiez aussi ! » C'est ça, le mouvement Emmaüs. Mais comment a-t-il commencé ?

C'était après la guerre, j'étais député. Un matin quelqu'un m'appelle : « Un homme vient de tenter de se suicider à trois kilomètres de chez vous et il veut recommencer. Venez. » J'ai trouvé un homme horriblement malheureux. Il m'a raconté sa vie. Un vrai roman !

Sa mère était une modeste femme de ménage. Un jour, un notaire la convoque et lui dit : « Madame, un vieux monsieur que vous avez servi, n'ayant pas d'héritier, vous a faite légataire universelle. C'est une fortune : des vignes en Champagne, des propriétés, etc. » À peine cette pauvre femme est-elle devenue riche qu'un gendarme – il y en a de parfaits et d'autres qui ne valent pas cher –, un gendarme, donc, sans scrupule a entrepris de lui faire la cour. Il l'a épousée et a commencé à faire la noce avec l'argent. Puis est né Georges, l'homme qui venait de tenter de se suicider. Georges n'avait jamais eu de vie de famille, il avait toujours été placé dans des internats.

Quand il revenait pour les vacances, sa mère, désespérée, humiliée de voir comment se conduisait son mari, lui disait : « Regarde, son revolver est dans le tiroir. Il faudra un jour que tu me venges. »

À 20 ans, Georges s'est fiancé. Et voilà que sa fiancée lui envoie une lettre de rupture, sans explications. Quand il m'en parlait, à 45 ans, il aimait toujours cette femme et pleurait amèrement.

En fait, la maîtresse de son père, pour pouvoir « tripoter dans la fortune », voulait lui faire épouser une de ses jeunes parentes. Elle avait donc envoyé d'épouvantables lettres anonymes à la fiancée pour qu'elle l'abandonne. Désespéré, Georges avait fini par accepter cet autre mariage. Bientôt un bébé fut attendu.

Or, des amis, causant avec sa première fiancée pour comprendre les raisons de la rupture, voient les lettres anonymes. Indignés, ils courent les montrer à Georges. Celui-ci reconnaît l'écriture de la maîtresse de son père, et, comme fou, prend le revolver pour tuer la femme qui l'avait séparé de sa fiancée. C'était une arme automatique qu'il ne savait pas manipuler. La femme est blessée. Le père, qui n'est pas loin, se précipite et reçoit la dernière décharge. Il a été tué. Parricide, le pire des crimes. Le tribunal a condamné Georges aux travaux forcés à perpétuité. Il est parti à Cayenne avant la naissance de l'enfant.

Il ne connaissait donc pas sa fille. Quand celle-ci a eu 15 ou 16 ans, elle lui écrivit au bagne des lettres pleines de tendresse. Elle s'était fait de son père une image idéalisée : il était une victime qui souffrait là-bas à cause de son amour.

Et puis soudain, coup de théâtre : Georges est gracié pour avoir sauvé quelqu'un dans un incendie au péril de sa vie. Il revient en France à l'improviste. Quand il arrive chez lui, impatient de connaître sa fille, il découvre que sa femme vit avec un copain de bagne libéré quelques mois avant lui et qui était venu apporter des nouvelles à sa famille ! Un bébé était déjà en route. Quant à sa fille, qui lui écrivait avec tant d'amour, elle fut bien déçue, presque dégoûtée, de le découvrir tel qu'il était : il avait un peu de tuberculose (il en est mort quinze ans après), il était paludéen, un peu alcoolique. Devant cette épave, sa fille a refusé de lui parler.

Il tenta alors de se suicider. Et c'est à ce moment-là que je l'ai rencontré.

Après l'avoir bien écouté, je lui ai dit : « Georges, toute ton histoire est horrible. Mais moi je ne peux rien pour toi. Ma famille est riche, mais quand j'ai voulu être moine j'ai renoncé à tout héritage. Je n'ai pas un sou. Je suis député, je reçois de l'argent tous les mois, mais il y a des familles qui viennent pleurer en me disant les conditions épouvantables dans lesquelles elles vivent. J'ai entrepris de leur bâtir de petites maisons, tout mon argent de député y passe et j'ai des dettes. Je ne peux rien pour toi. Mais toi, tu veux mourir, tu n'as rien qui t'embarrasse. Eh bien, pense aux mamans qui attendent que j'aie fini leur logement. Avant de te tuer, ne veux-tu pas venir me donner un coup de main pour qu'on aille plus vite leur livrer ces maisons ? »

Son visage a changé. Georges a dit oui. Il est venu. C'était une épave, mais il était quand même utile pour m'aider à porter les planches quand ma charge de député me laissait un peu de temps pour faire avancer la construction. Et ce travail a redonné un sens à sa vie.

« Quoi que vous m'ayez donné, m'avoua-t-il plus tard : de l'argent, une maison, du travail, j'aurais recommencé à me suicider. Ce qui me manquait, ce n'était pas de quoi vivre, c'était des raisons de vivre. »

À présent, il vivait pour aider d'autres encore plus pauvres et malheureux que lui. Le désespéré devenait sauveur. Emmaüs était né.

Quelle a été la première famille pour laquelle je me suis mis à bâtir ? J'ai vu arriver un jour une femme avec trois enfants, un grand-père... et deux papas ! Ils m'expliquent qu'ils viennent d'être expulsés du local vide où ils habitaient en squatters. Provisoirement, je les loge dans ma grande maison de Neuilly-Plaisance que j'avais aménagée en auberge de jeunesse. C'étaient les vacances de Noël. Il neigeait. L'auberge était pleine d'Allemands, de Français, d'Anglais, etc. Il n'y avait pas de place pour la famille. Ne voyant aucune autre solution, j'enlève le Bon Dieu de la chapelle, je le conduis dans un coin propre du grenier, et j'installe cette curieuse famille à sa place.

Parfois, je me dis que si notre combat pour les sans-logis a pris tant d'ampleur, c'est parce que c'est Jésus chez nous qui, le premier, a donné sa place à une famille sans abri !

Quelques jours après leur installation dans la chapelle avec leurs matelas et leurs valises, le vrai papa, le légitime, vient me trouver un peu embarrassé et me dit : « Père, il faut que je vous explique. J'espère que vous n'allez pas nous juger, nous condamner. Mais j'ai été captif pendant toute la guerre en Allemagne. Quand je suis revenu, j'ai trouvé ma femme vivant avec cet autre. J'avais un enfant, et maintenant il y en a deux de plus. Que faire ? Se foutre sur la gueule ? C'était une tentation. Mais les trois enfants étaient ceux de ma femme, deux enfants étaient les siens, le premier était le mien. On a bien réfléchi et on s'est dit : qu'est-ce qui fera le moins souffrir les petits ? Finalement on s'est mis d'accord : lui travaille de jour, et moi je travaille de nuit. »

On a envie de rire, mais en même temps, c'est bouleversant. Au lieu de s'entre-tuer ou de penser à eux, ils ont choisi ce qui préserverait le mieux les petits, les plus faibles.

Nous leur avons construit une maison et nous les y avons installés. La première chose qu'ils ont faite, c'est de poser un écriteau sur la porte où était écrit : « La joie de vivre. » Puis, quand les enfants ont grandi, il y a eu deux logements, solution plus convenable.

À l'origine d'Emmaüs, il y avait non seulement des compagnons et des familles, mais aussi des volontaires, le plus souvent des gars qui ne manquaient de rien, des fils de riches qui nous donnaient un coup de main.

Le premier de ces volontaires était un fils d'industriel. Il avait fini ses études, il était ingénieur et était destiné à prendre la succession de son père à la direction d'une grosse entreprise. Il vint me trouver et me dit : « Père, par mes études je suis compétent, je connais bien mon métier, mais je ne connais rien des hommes. Est-ce que je pourrais venir vivre avec vous pendant quelque temps pour apprendre à les connaître ? » « Bien sûr », lui ai-je répondu. Et puis au bout d'un an – ça m'a beaucoup fait rire –, il m'apporte une lettre du père de sa fiancée qui lui écrivait : « Mon petit vieux, ça commence à suffire. Il faut que tu choisisses entre les chiffons de l'Abbé Pierre et ma fille. » Ils se sont donc mariés et ont eu rapidement deux enfants.

Mais, pris de panique devant la responsabilité paternelle, cet homme généreux a soudainement disparu sans laisser d'adresse. Sa femme ne savait pas ce qu'il était devenu. Un beau jour elle reçoit une lettre : il s'était engagé dans la Légion étrangère ! Il lui écrivait de Sidi-Bel-Abbes où il était cantonné. Sans hésiter, elle prend les enfants et part y habiter jusqu'à ce qu'il ait fini ses cinq ans. Depuis, c'est un ménage merveilleux.

Emmaüs est né comme ça : avec un assassin suicidaire raté, une famille où il y avait deux papas pour une seule épouse, et puis un ingénieur, fils de patron, qui plaque sa femme et ses enfants pour s'engager dans la Légion étrangère ! Bref, avec des aigles blessés de toutes catégories.

Et tel me semble bien être le cœur humain : tissé d'ombre et de lumière, susceptible d'actes héroïques et de terribles lâchetés, aspirant à de vastes horizons et butant sans cesse sur toutes sortes d'obstacles, le plus souvent intérieurs.

Chapitre 3

L'Évangile des pauvres

Cette aventure, qui commençait avec la transformation d'hommes abattus redevenus « des hommes debout », avec ces familles désespérées que je voyais reprendre espoir sitôt bâtie leur petite maison, me poussait à remettre en cause toute une éducation qui m'avait appris à respecter le principe suivant : « Il y a ce qui se fait et ce qui ne se fait pas. »

Grâce à ces événements, j'allais me trouver conduit, et presque contraint, à chercher d'autres valeurs. Valeurs que j'allais retrouver dans l'Évangile. Mais l'Évangile relu avec une autre sensibilité et qui allait, au-delà du doute, m'ouvrir la route de l'espérance.

Je lisais et relisais les Évangiles. J'y voyais Jésus osant contester une multitude de prescriptions qui prétendaient réglementer, au nom de la religion, depuis la prière jusqu'aux moindres détails des relations sociales, des fiançailles, de la vie domestique, définissant les bienséances, etc. Et je découvrais aussi que Jésus ne cessait de rencontrer des « aigles blessés » et de leur redonner l'espérance.

Il y a par exemple le personnage de Zachée (Luc, 19). C'était une bonne canaille qui levait les impôts pour l'occupant romain. Pourvu qu'il versât à l'autorité romaine ce qu'elle lui demandait, il était quasiment libre d'imposer les charges qu'il voulait au peuple d'Israël. C'était donc à la fois un collaborateur et un voleur ! Jésus, un jour, traversa la ville de Jéricho. Or cet homme, Zachée, voulait savoir qui était ce Jésus. Comme il était de petite taille, il ne parvint pas à le voir à cause de la foule. Il courut donc en avant et monta sur un sycomore afin de mieux observer son passage. Parvenu à cet endroit, Jésus leva les yeux et lui dit : « Zachée, descends vite car il me faut aujourd'hui habiter chez toi. » Zachée sauta de son arbre et le reçut avec joie. La foule murmura alors et dit : « Il est allé loger chez un homme pécheur. » Mais Zachée dit à Jésus : « Voici, Seigneur, je vais donner la moitié de mes biens aux pauvres. Et si j'ai extorqué quelque chose à quelqu'un, je lui rendrai le quadruple. » Jésus lui répondit : « Aujourd'hui le salut est arrivé pour ta maison parce que toi aussi tu es fils d'Abraham. Car le Fils de l'Homme est venu chercher et sauver ce qui était perdu. »

Un jour, un compagnon avait trouvé un Évangile et le feuilletait. Il ne l'avait jamais lu auparavant. Et il disait aux autres : « Tu ne connais pas ? Eh bien il y en a des histoires là-dedans ! »

Il y a en effet tant d'histoires qu'on pourrait raconter et qui nous montrent Jésus redonnant l'espoir à des hommes et à des femmes vivant toutes sortes de situations ! Beaucoup de ces êtres cassés, cabossés, meurtris, auprès de qui je vis depuis près de cinquante ans ressemblent fort à ceux que Jésus rencontre dans l'Évangile.

L'histoire de la première famille que nous avons logée, avec une maman et deux papas, ne ressemble-t-elle pas un peu à celle de la Samaritaine (Jean, 4) ? Jésus lui demande à boire, elle est scandalisée parce que les Juifs ne demandent jamais rien à un Samaritain. Entre ces deux peuples, c'était la haine. (Je viens de rentrer de Belfast, les rapports sont à peu près les mêmes entre protestants et catholiques.) Les Juifs ne parlaient pas aux Samaritains qu'ils méprisaient. Et cette femme lui dit : « Mais comment peux-tu me parler comme ça, toi qui es juif, tu me demandes à boire à moi qui suis samaritaine ? » Et Jésus lui répond : « Si tu savais le don de Dieu, si tu savais qui est celui qui te dit : "Donne-moi à boire", c'est toi qui l'aurais prié et il t'aurait donné l'eau vive. » Et elle, qui en avait assez de porter la cruche pour venir au puits, lui dit : « Mais Seigneur, tu n'as rien pour puiser, le puits est profond, où vas-tu la prendre, l'eau vive, la source ? Est-ce que tu serais plus grand que Jacob, notre père qui a construit ce puits ? » Et Jésus répond : « Quiconque boira de cette eau aura encore soif. Mais qui boira de l'eau que je lui donnerai n'aura plus jamais soif. L'eau que je lui donnerai deviendra en lui source d'eau jaillissant en vie éternelle. » « Seigneur, lui dit la femme, donne-moi cette eau afin que je n'aie plus soif et que je n'aie plus à venir ici puiser. » Il lui dit : « Va, appelle ton mari, et reviens avec lui. » Et la femme lui répond : « Je n'ai pas de mari. » Jésus lui dit : « Tu as raison, tu as bien fait de dire "je n'ai pas de mari", car tu as eu cinq maris et celui que tu as maintenant n'est pas ton mari. Oui, en cela tu dis vrai. »

La femme lui dit alors : « Seigneur, je vois que tu es un prophète. Nos pères, eux, ont adoré sur cette montagne, le mont Garizim. Et vous, Juifs, vous dites que c'est à Jérusalem qu'il faut adorer. » Et Jésus lui dit : « Crois-moi, femme, l'heure vient où ce n'est ni sur cette montagne, ni à Jérusalem, que vous adorerez le Père. Vous, vous adorez ce que vous ne connaissez pas. Nous, nous adorons ce que nous connaissons, car le salut vient des Juifs. Mais l'heure vient, elle est là maintenant, où les véritables adorateurs adoreront le Père en esprit et en vérité. Car tels sont les adorateurs que cherche le Père. Dieu est esprit et ceux qui adorent, c'est en esprit et en vérité qu'ils doivent adorer. » La femme lui dit : « Je sais que le Messie doit venir, celui qu'on appelle Christ. Quand il viendra, il nous expliquera tout. » Jésus lui dit : « Je le suis, moi qui te parle. »

Comment, à lire cet échange de paroles faisant éclater les sectarismes où la religion s'est enfermée, ne pas ressentir douloureusement les divisions relatives à la Terre sainte ? Comment ne pas les subir comme une terrible meurtrissure ? Ne parviendrons-nous donc jamais à vivre ensemble, différents et frères, loin de ces luttes sanglantes ?

Toutes ces histoires d'« aigles blessés » parlent à nos compagnons ou aux familles que nous dépannons. Eux aussi ont été exploités, eux aussi ont désespéré. Et voir que Jésus fait se transformer la canaille, cela leur apporte l'espérance.

Il est nécessaire de préciser un point important : les communautés du mouvement Emmaüs, imprégnées de l'Évangile, restent absolument non confessionnelles. On ne demande à personne : « Es-tu croyant, pratiquant, électeur de droite ou de gauche, as-tu été résistant ou collaborateur ? » Rien de tout cela. Quand quelqu'un arrive pour la première fois, on lui demande simplement : « As-tu faim, as-tu sommeil ? Désires-tu prendre une douche ? » Et, évidemment, par la suite, chacun est totalement libre d'aller à la messe ou en quelque autre lieu de réunion.

Bien peu d'entre eux, il faut le dire, ont une « pratique religieuse ». Mais ils aiment qu'on leur

raconte ces « histoires » tirées de l'Évangile. Ils
voient ainsi que Jésus n'est pas venu pour les bien
portants et les bien-pensants, mais pour les paumés,
les égarés, les pécheurs, ceux qui doutent...

Ce que rapporte l'Évangile, comme les souvenirs
des débuts d'Emmaüs évoqués plus haut, est bien à
l'image de la condition humaine : nous aspirons à
la liberté, à la dignité, à de vastes horizons, au
bonheur, à la santé, à la fraternité, et nous vivons le
plus souvent dans la peur, l'humiliation, la frustra-
tion, la froideur, la guerre, la maladie. Nous sommes
tous, à un niveau ou à un autre, des aigles blessés.
L'histoire de l'humanité dit-elle autre chose ?

Chapitre 4

La désillusion enthousiaste

Après la guerre, je fus élu député de Nancy. Il me fallait trouver un pied-à-terre à Paris. Après bien des péripéties, j'ai déniché une maison à Neuilly-Plaisance disposant d'un hectare ou presque de jardin.

La maison était à vendre très bon marché parce qu'elle avait été pillée pendant la guerre. Mon arrivée a intrigué tous les gens du quartier : ils regardaient, stupéfiés, débarquer un curé en soutane dans une voiture portant la cocarde de l'Assemblée nationale. Puis ils me virent, à peine arrivé, ressortir par les fenêtres en salopette et me mettre à réparer la toiture. On m'a pris pour un fou.

Quand j'eus fini de retaper la maison, je l'ai aménagée en « auberge de jeunesse » car elle était beaucoup trop grande pour moi.

À l'époque, j'étais président de l'exécutif du Mouvement universel pour une confédération mondiale. Le président de son conseil était lord Boyd Orr, le fondateur de la FAO (Organisation pour l'alimentation et l'agriculture). Einstein était l'un des membres du mouvement, ce qui me donna l'occasion de parler à plusieurs reprises avec lui. Je participais fréquemment à des congrès à travers l'Europe. De ce fait, beaucoup de jeunes Européens étaient contents de venir passer leurs vacances dans cette auberge de jeunesse et de me rencontrer.

J'ai alors remarqué quelque chose de très surprenant, qui n'est pas facile à imaginer pour la jeunesse actuelle. Alors qu'ils auraient dû être dominés par la joie de la fin de la guerre, je constatais que les jeunes les plus lucides, qu'ils soient du côté des vainqueurs ou des vaincus, étaient tristes et doutaient de la vie.

C'était l'époque où l'on voyait arriver les terribles convois des survivants des camps nazis. Je me rappelle l'une de ces jeunes filles qui avait eu à soigner ces squelettes vivants, comme volontaire à la Croix-Rouge, dans un grand hôtel de Paris où on les entreposait à leur arrivée des camps de la mort. Elle en conçut de l'horreur pour le corps en général, le sien en particulier. Elle avait 20 ans. Il lui a fallu des années pour s'en remettre.

Dans le camp des vainqueurs, on commençait à savoir quelles avaient été les conséquences des bombes atomiques (bien qu'on n'ait pas dit la vérité à l'époque et qu'on ne la dise pas encore tout entière aujourd'hui). Non seulement les 180 000 personnes tuées par les deux bombes, mortes en un instant, mais aussi les bébés qui étaient encore dans le ventre de leur mère et naissaient monstrueux.

Voyant ainsi à quel point l'homme était capable d'agir contre l'homme, ces jeunes doutaient de l'humanité. Ils doutaient même que la vie vaille la peine d'être vécue. Comme je lisais l'Évangile en pensant à cette jeunesse désabusée, je suis tombé sur le passage de saint Luc qui parle des disciples d'Emmaüs (Luc, 24). Et j'ai été frappé par la désespérance de ces deux hommes qui fuyaient Jérusalem après la mort du Christ.

Le dimanche des Rameaux (c'était une sorte de défilé sur les Champs-Élysées), ils avaient cru que Jésus, acclamé par tout le monde, allait être proclamé roi et libérer le peuple d'Israël du joug des Romains. Or quelques jours après, c'est l'agonie, Jésus ne fait plus de miracle, il se laisse maltraiter et torturer. Finalement il meurt sur la croix comme un bandit. Tous les disciples ont peur. Ils se terrent ou s'enfuient de Jérusalem par crainte des Romains et des grands prêtres juifs. C'est la déconfiture complète. Comme bien d'autres, ces deux disciples ont pris la fuite.

Et voilà que sur la route ils rencontrent un autre voyageur vers la fin du jour. Le voyageur leur dit : « Mais pourquoi êtes-vous tristes ? » Ils répondent : « Mais tu es le seul à Jérusalem qui n'est pas triste aujourd'hui. Tu ne sais pas ce qui est arrivé ? » Et ils lui racontent les événements tragiques des derniers jours. Le voyageur, qu'ils n'ont pas reconnu, mais qui n'est autre que Jésus ressuscité, reprend dans les textes de l'Ancien Testament tout ce qui annonçait le salut à travers la Passion. Que le Messie serait un sauveur humble, souffrant, et non pas triomphant comme ils l'imaginaient.

Et voilà que marchant, ils arrivent le soir à l'auberge. Comme les deux hommes s'apprêtent à y rentrer pour casser la croûte, le voyageur fait mine de poursuivre sa route, et ils lui disent ces mots que j'aime beaucoup : « Reste avec nous. Le soir vient, le jour est à sa fin. » C'est une parole que nous aimons graver sur les tombes de nos compagnons dans nos cimetières.

À table, le voyageur prend le pain, le bénit, le rompt et le leur donne. À ce moment, ils reconnaissent Jésus. Mais celui-ci disparaît soudainement. Alors, ils se disent l'un à l'autre : « Est-ce que notre cœur ne brûlait pas au-dedans de nous pendant qu'il nous parlait sur le chemin ? » Leur retour à la foi n'est pas motivé par un argument rationnel, logique, mais amoureux : « notre cœur brûlait ». C'est magnifique.

Voici donc que ces lâches, ces fuyards, sont transformés. Ils prennent alors tous les risques. Ils rebroussent chemin, courent vers Jérusalem pour aller crier la bonne nouvelle du Christ ressuscité. Ils se rendent au Cénacle, là où avaient eu lieu le souper du Jeudi saint et l'institution de l'Eucharistie, pensant y trouver les apôtres qui se cachent. Quand ils arrivent, ils crient la bonne nouvelle : « Jésus est vivant ! » Les apôtres répondent : « C'est bien vrai, il est aussi apparu à Pierre. » Jésus, dès ce moment, se manifeste tel qu'Il est désormais, comme nous le serons à la résurrection de nos corps, avec un corps glorieux.

En lisant ce passage des Évangiles, dit des « pèlerins d'Emmaüs », est née en moi comme une philosophie de la vie que j'appelle la « désillusion enthousiaste ».

J'ai pris une planche, un pot de peinture et j'ai écrit « Emmaüs » en grosses lettres blanches. J'ai été accrocher cet écriteau à la grille d'entrée du jardin.

Évidemment on m'a interrogé sur ce que cela voulait dire. J'ai alors commencé à expliquer à cette jeunesse que la vie, depuis l'instant où elle commence, nous demande de nous libérer de nos illusions. Le gosse devant ce qui est joli, même si c'est du feu, va avoir tendance à vouloir aller le toucher. Quand il se sera brûlé, il n'y retournera pas. Il avait une illusion dont le voici libéré. Il en va de même pour les adultes. Progressivement la vie nous amène à perdre nos illusions pour atteindre le réel. Alors seulement nous pouvons découvrir l'enthousiasme. En grec, *en* signifie « un », et *theos* signifie « Dieu ». L'enthousiaste c'est l'homme qui devient un avec Dieu. Mais pour que cette union puisse se faire, il faut s'être libéré de l'illusion.

J'expliquais cela à ces jeunes désabusés en leur disant : « Vous vivez la désillusion. À vous de vous en arracher et d'entrer dans le réel de la vie où vous pourrez faire la rencontre de l'Éternel qui est Amour. »

Lorsque j'ai mis cette pancarte à l'entrée du jardin, je n'avais aucune idée, mais absolument aucune, de ce qui allait arriver peu de temps après. C'est-à-dire qu'à la place de la jeunesse, tous les lits, les uns après les autres, allaient être occupés par des gens, eux, en proie à la pire désillusion. Car c'était leur propre vie qui avait été cassée, brisée : des ménages rompus, des sortis de prison, des femmes abandonnées avec enfants, des alcooliques...

Quelle merveille d'entrer dans une maison qui repose tout entière sur le récit évangélique d'Emmaüs. Ce fut vraiment quelque chose qui m'a ému jusqu'au plus profond de moi, comme un de ces signes que parfois nous donne la Providence. Car jamais je n'avais imaginé en écrivant « Emmaüs » sur cette pancarte qu'allaient bientôt débarquer tant de désillusionnés de la vie, tant de ceux qui avaient besoin de retrouver une véritable espérance.

Chapitre 5

Espérance

Comme toujours sur les questions essentielles, commençons par nous mettre d'accord sur le sens des mots. Que de querelles cesseraient si, avant de débattre, nous commencions par nous accorder sur le sens de chacun des mots importants que nous allons employer !

Ne confondons pas l'espérance avec l'espoir. On peut avoir mille espoirs de toute sorte mais une seule espérance. On espère qu'un tel arrivera à l'heure, que l'on va réussir à un examen, que la paix finira par revenir au Rwanda. Ce sont des espoirs particuliers.

L'espérance, c'est tout autre chose, elle est intimement liée au sens de la vie. Si l'existence ne mène nulle part, si elle doit seulement conduire à ce trou dans la terre où l'on met ce peu de matière qui va se décomposer, à quoi bon vivre ?

L'espérance, c'est croire que la vie a un sens.

L'espérance naît quand nous comprenons que nous avons besoin d'un salut. Mais que signifie le mot « salut » pour quelqu'un qui ne se sent pas perdu ? On n'est sauvé que si on a conscience d'être en péril. Je crois que cette prise de conscience peut se faire sur deux plans.

Tout d'abord, nous portons en nous des aspirations. Celle de connaître, d'aimer, de donner, de recevoir, d'agir de façon exaltante, de dépasser ses limites. Si nous les avons portées pendant des dizaines d'années pour rien, sans qu'elles soient jamais satisfaites, nous avons le sentiment d'avoir raté notre vie. Nous avons alors besoin d'être sauvés de la désillusion négative : nous avons perdu nos illusions ainsi que notre enthousiasme. Mais nous avons pu aussi nous installer dans l'illusion – et cela est malheureusement assez fréquent – pour ne pas avoir à affronter la réalité.

L'homme porte en lui une aspiration à l'infini, à l'éternité, à l'absolu, et il vit dans le fini, le temps, le relatif. Il est fondamentalement, ontologiquement, insatisfait. S'il n'en prend pas conscience, il reporte ses aspirations les plus profondes dans le domaine de l'avoir : il est sans cesse en quête de biens matériels et de plaisirs immédiats qui ne pourront jamais le combler. Il sera alors éternellement insatisfait, car il se trompe sur la nature du véritable bien.

S'il n'est pas lucide, il peut aussi se mentir à lui-même et vivre dans l'illusion d'être comblé ou de pouvoir le devenir par des moyens erronés. Mais n'est-ce pas cesser d'être homme que de se sentir satisfait ?

On a également besoin d'un salut quand on est malade, souffrant, dans la misère. Quand la vie n'est qu'une longue suite d'épreuves et de difficultés en tout genre. C'est ce salut que nous propose l'Écriture quand elle nous dit : l'amour est fort comme la mort. Et c'est cela l'espérance : à la mort, toutes les limites qui s'imposaient à moi,

toutes les épreuves aussi, cessent pour faire place
à une plénitude de joie et d'amour.

Je suis tout à fait convaincu que dans la vie éternelle nous vivons dans la plénitude et la contemplation. Saint Thomas d'Aquin dit que dans la
béatitude chacun sera rempli à ras bord. Et selon
qu'il se sera réduit à la mesure d'un dé à coudre
ou qu'il aura été, comme on dit chez les vignerons,
grand comme un foudre de vin, il sera rempli à ras
bord. Si tu n'as que peu d'aspirations, et que tu as
aimé Dieu et ton prochain sans beaucoup te donner,
eh bien tu auras du bonheur grand comme un dé à
coudre, tu en auras ton compte ; si au contraire tu
as développé une soif immense, un creux immense,
et que tu as aimé intensément, tu seras aussi rempli
à plein, d'une plénitude à la mesure de ta soif et
de ton amour.

L'espérance chrétienne, c'est l'espérance que
nos attentes ne seront pas déçues. Plusieurs images
très simples expriment bien cela.

Imaginons qu'un écrou tombe quelque part au
passage d'un camion dans un village primitif où
l'on n'a jamais vu de mécanique. S'il se trouve un
homme très intelligent, à force de regarder
comment est fait l'écrou il saura ce qu'est un
boulon.

Imaginons maintenant la cire dont on vient de
retirer le sceau : quand la cire est sèche, je peux,
en l'observant, connaître jusqu'au plus petit détail
du sceau. La cire a tout retenu, en creux. De la
même manière nous pouvons avoir une certaine
notion de Dieu en étant attentifs à nos aspirations,
à nos désirs d'amour, puisque l'Écriture nous dit
que nous sommes « à l'image de Dieu ». Ainsi, en
observant tout ce qui vient en désir, en appel, « en
creux » en nous, nous pouvons deviner quelque

chose de Dieu. L'espérance c'est cette certitude que Dieu pourra combler ces attentes, ces soifs, répondre pleinement à ces appels.

On peut aussi prendre l'exemple de quelque carrière réputée splendide. Si nous nous rendons par exemple dans telle carrière de marbre, nous ne voyons que déchets, cailloux, éclats de marbre inutilisables, pas même bons à faire des pavés. Pourquoi ? Parce que si c'est bien en creusant la carrière que s'élabore le monument merveilleux que l'on veut construire – une cathédrale, un château – ce n'est pas là qu'il s'édifie. Aussitôt qu'une belle pierre a été dégagée, elle est placée sur un chariot qui l'emportera.

Nous sommes tous des travailleurs à la belle carrière de pierre qu'est la vie. Peut-être n'avons-nous jamais vu le plan de l'édifice merveilleux en train de se construire ailleurs ?

Tant que nous sommes dans la vie humaine, dans le temps, nous ne nous voyons que suer, que nous crever pour dégager des pierres. L'édifice, lui, se construit hors du temps, dans l'au-delà qu'on appelle l'éternité. Nous n'en aurons la pleine vision qu'après notre mort, quand nous aurons quitté les ombres du temps pour entrer dans la Vie Eternelle. On ne peut pas avoir l'expérience de cette beauté en cette vie. On peut en avoir le concept, un architecte nous a peut-être montré des plans, on a pu entrevoir quelques lueurs, mais c'est tout autre chose d'en jouir en pleine lumière.

La vie est un gigantesque chantier tendu vers la plénitude de la beauté.

L'espérance, c'est savoir que Dieu remplira en plénitude tout ce qui était en appel, en creux, en nous. Mais à une seule condition : avoir aimé. Ne serait-ce même que nous y être efforcés de notre mieux.

Heureusement, l'Église n'affirme plus depuis longtemps qu'il n'y a que les croyants catalogués, baptisés et pratiquants, qui seront sauvés ! Car sur les quelque cent milliards d'êtres humains qui ont vécu sur terre, à travers les millénaires, quel est le pourcentage de ceux qui ont connu la Bible, l'Évangile, Jésus ? C'est infime ! Oui, le Saint-Esprit a suppléé, il a parlé au fond du cœur du plus agnostique, du plus éloigné de toute connaissance de la révélation chrétienne. L'Esprit saint a travaillé chaque conscience pour susciter la tentation du bien en même temps qu'elle éprouvait la tentation du mal.

Et la liberté naissante de chacun, vacillante, a eu tous les jours à choisir.

Me revient sur cette question un autre souvenir d'une rencontre fraternelle avec des personnes dont les opinions étaient tout à l'opposé des miennes.

C'était en 1942, juste avant que j'entre dans la Résistance. La France était gouvernée par Vichy. J'avais été nommé aumônier dans un ex-petit séminaire qui avait été confisqué par l'État après le vote des lois anticléricales au début du siècle. C'était devenu un centre de formation agricole ultramoderne confié à des instituteurs laïques qui « bouffaient du curé ».

Je me souviens de l'un des professeurs, chargé d'accompagner à la messe les élèves de familles pratiquantes qui demandaient que leurs enfants y participent chaque dimanche. Il s'installait confortablement dans l'église et, très ostensiblement, il ouvrait le journal et en lisait les pages grandes ouvertes.

J'entretenais malgré tout d'excellentes relations avec certains d'entre eux, et notamment le directeur de l'école, qui m'avait demandé de préparer discrètement son petit-fils à la première communion... J'avais souvent des discussions profondes avec ces instituteurs anticléricaux. En fait, ils avaient mis toute leur foi dans le progrès de l'humanité. Ils me trouvaient pessimiste à cause de la théorie chrétienne du péché originel qui considère que l'humanité est comme blessée, cabossée. Eux, au contraire, croyaient en l'homme et s'attendaient à des lendemains radieux placés sous le signe du progrès technique et scientifique.

Je leur disais : « Je vous plains, parce que s'il est vrai qu'on constate dans l'humanité un progrès matériel, lié au développement des sciences et des techniques, je ne vois pas où sont le progrès moral et le bonheur. Nous sommes en pleine guerre : elle n'est ni propre, ni belle, et je suis sûr que nous ne sommes pas au bout de nos désillusions sur l'homme en ce XXe siècle. » Je ne pensais malheureusement pas si bien dire quelques années avant la découverte des camps de la mort et l'explosion de la bombe atomique.

Et je leur disais : « Quant à moi, dont la pensée part de la croyance que l'homme est capable d'horreurs, je m'émerveille de voir des gens comme vous qui se dévouent à leur métier et à leur idéal, qui sont de bons époux et de bons pères de famille. Je m'émerveille de la moindre action belle et désintéressée. Je vois fleurir avec éblouissement la plus petite fleur sur ce tas de fumier qu'est l'humanité.

« Partant d'une vue que vous appelez "pessimiste", je vais finir ma vie dans la jubilation en voyant que malgré le mal il y a du bien. Et vous, partant *a priori* de la pensée optimiste que l'homme est bon, vous risquez d'arriver au bout un peu amers, un peu aigris en disant : "Si je fais le total des progrès, non pas scientifiques, mais en valeur d'humanité, ce n'est pas bien réjouissant !" »

Chapitre 6

Entre l'absurde et le mystère

Comme je viens de l'évoquer, il y a des gens qui peuvent être doués, remarquables, mais qui, prenons le mot dans son sens caricatural, se sont appliqués à vivre « bourgeoisement », à prendre toutes les assurances possibles, y compris sur la vie. Ils sont tranquilles. Pour ne pas trop souffrir de la cruauté du monde, pour se cacher de cette désolation, ils cherchent à se distraire l'esprit ou à s'endormir.

Et j'imagine ce brave homme, le soir après le boulot, confortablement installé dans son fauteuil en train d'écouter de la musique ou de regarder la télévision, les pieds bien calés dans ses pantoufles. Tout d'un coup, on casse sa fenêtre et on lui crie : « Vite, vite, sauvez-vous ! » Il s'écrie : « Mais foutez-moi la paix, qu'est-ce que vous faites là ? » « Mais vous ne savez pas ? la maison est en feu ! »

Il y a des gens qui ne savent pas, qui ne veulent pas voir qu'ils ont à être sauvés. Qu'ils seront déçus des sécurités dans lesquelles ils se réfugient car elles sont superficielles, extérieures à leur être profond, à leur véritable besoin d'amour. Et les pompiers doivent leur dire : « Vite, vite, il y en a d'autres à sauver, la grande échelle est là, ne vous encombrez pas de vos titres et de vos valeurs, sortez par la fenêtre. » Ces pompiers ce sont les maîtres de l'espérance, ce sont les éveilleurs du sens.

Socrate, Bouddha, Épictète, Jésus et bien d'autres, tout au long de l'histoire, ont ainsi cherché à réveiller l'homme de sa torpeur, à lui faire quitter l'illusion, à l'éveiller à la nécessité du salut.

Mais il y a aussi des éveilleurs de l'absurde, des maîtres de désespérance. Je pense notamment au cas de Sartre. Dans son livre autobiographique, *Les Mots*, il reconnaît qu'il a passé sa vie à agencer des mots qui ne laissent pas de trace. Et son amie, Simone de Beauvoir, écrit avant de mourir : « Nous avons été floués. » Floués ? Mais par qui, sinon par eux-mêmes ? Ils ont été l'un et l'autre courageux. Ils ont pris des positions qui n'étaient pas celles de leur milieu bourgeois d'origine. Ils ne sont certainement pas sans mérite devant Dieu. Je ne les juge pas. Mais ils ont aussi été des maîtres de désespérance. Plusieurs de leurs disciples, allant jusqu'au bout de leur enseignement, se sont suicidés.

Je pense aussi à Camus. Nous avons travaillé ensemble pendant un temps, après la Libération, au journal *Combat*. Je le voyais sincère en tout. C'était ce qui dominait dans le contact avec lui. Il a eu le fameux mot : « Je ne peux pas donner ma foi à un tout-puissant qui laisse tant souffrir les petits enfants. » Au fond Camus était un désillusionné négatif, ce qui est un signe de lucidité et de générosité. Il ne découvrit jamais l'espérance, qui, seule, l'aurait conduit à la désillusion enthousiaste. Et il est resté comme Sartre, autrement bien sûr mais autant que lui, un éveilleur de l'absurde. Il a su voir le mal qui règne partout dans le monde et dans le cœur de l'homme. Mais il n'a pas su voir l'amour que Dieu a imprimé en creux dans l'humanité. Cet amour mystérieux, encore caché, sur lequel se fonde l'espérance.

Pendant mon service militaire, m'est passée entre les mains une revue qui parlait d'un livre d'Ernest Psichari. Psichari avait vécu dans le Paris le plus mondain. Il était le petit-fils de Renan. Mais vers 22 ans, il a fait une tentative de suicide. Il a été sauvé providentiellement par l'arrivée de Jacques Rivière, le correspondant bien connu de Claudel. Après ce suicide manqué, alors qu'il était officier de réserve, il s'est engagé dans l'armée et il a demandé à être affecté au Sahara. Là il a écrit trois petits livres merveilleux : *L'Appel des armes, Les Voix qui crient dans le désert*, et, le plus beau, *Le Voyage du centurion*. La lecture de ce dernier ouvrage m'a bouleversé.

Psichari y décrit ses états d'âme. Une nuit, sous le ciel illuminé de myriades d'étoiles, il tombe à genoux et s'écrie : « Non, ce n'est pas vrai que la vraie route soit celle qui ne mène nulle part. » Et, prosterné, il dit : « Voici, en dépit des allégations de mon grand grand-père, que jaillit au fond de moi "Notre Père qui êtes aux Cieux". »

Les apôtres ont été eux aussi, lors de la fin tragique du Christ, confrontés à un choix entre l'absurde et le mystère.

Le peuple d'Israël attendait un Messie qui le libérerait du joug de l'envahisseur romain. Pour les disciples, c'est clair, Jésus est ce Messie. L'entrée triomphale à Jérusalem le dimanche des Rameaux ne le confirme-t-elle pas ? Aussi, quand il est arrêté au mont des Oliviers, Pierre porte la main à son épée et tranche l'oreille du serviteur du grand prêtre. Et voici que Jésus lui-même le dissuade d'agir ainsi : « Mon Royaume n'est pas de ce monde », dira-t-il à Pilate le lendemain.

Il y a aussi ce passage extraordinaire où Jésus explique aux apôtres qu'il doit monter à Jérusalem pour y être condamné et mourir. « Cela ne sera pas », réplique Pierre qui ne peut admettre une telle idée. « Arrière Satan, lui répond Jésus, tes pensées ne sont pas celles de Dieu mais celles des hommes. » Quel début de désillusion pour les apôtres de voir ce sauveur se laisser arrêter par les envoyés des autorités qui voulaient sa perte, puis de le voir mourir sur la croix sans plus user de son pouvoir miraculeux ! Et les apôtres s'enfuient.

Comment ne pas essayer de pénétrer les états d'âme, si différents fussent-ils l'un de l'autre, dans lesquels se sont trouvés acculés Pierre et Judas ?

Tous deux sont désillusionnés. Mais tandis que Pierre a gardé assez d'espérance pour pleurer amèrement d'avoir renié le Christ, Judas, lui, anéanti face à tant d'absurdité et d'horreur, en vient à se faire le complice des triomphateurs apparents. Il est resté dans la désillusion négative qui l'a poussé au désespoir. Ce désespoir qui, après lui avoir fait trahir son ami, le conduira à se suicider.

Parfois, dans la vie d'un homme, alternent l'espérance et le désespoir, la lumière et les ténèbres. Me revient en mémoire le dramatique cri d'une lettre de Charles Baudelaire à un intime : « Je suis comme un voyageur perdu dans la forêt, entouré de dangers dans la nuit, ne sachant plus son chemin. Et voici qu'au loin une lumière apparaît. C'est sans doute la maison d'un garde forestier qui rentre pour aller se coucher et qui a allumé sa chandelle. Je suis sauvé, je sais où aller. Tout est devenu simple. Mais voilà qu'après un instant le garde éteint sa lumière, et me voici de nouveau perdu, sans espérance. » Et la lettre s'achève par ce vers poignant qui, bien souvent, me revient au cœur : « Le diable a tout éteint au carreau de l'auberge. »

Je n'oublierai jamais non plus le mot d'un ministre péruvien, ami très cher, mathématicien éminent. Il était agnostique et cherchait. Un soir, je l'entendis conclure une de nos conversations par ces mots : « Si l'on a un regard lucide sur la vie, il n'est pas d'autre choix qu'en cette alternative : le mystère ou l'absurde. » Il était conscient que l'absurde conduit à la désespérance et que le mystère, reposant sur la foi en l'Éternel caché qui est Amour, peut être source d'espérance.

Il savait la joie et la paix en mon choix. Peut-être était-il lui aussi sur le point de les connaître ?

DEUXIÈME PARTIE

Certitudes de l'inconnaissable

Chapitre 1

De la foi reçue à la foi personnelle

Je me suis trouvé un jour, de façon tout à fait imprévue, en compagnie d'André Frossard sur un plateau de télévision. André Frossard avait été rendu célèbre par un livre intitulé *Dieu existe, je l'ai rencontré*, témoignage de sa venue à la foi. Il était aussi connu par les coups de griffes qu'il aimait à donner à l'occasion de ses petits billets du *Figaro*.

Et il déclara au cours de l'émission : « Il m'est arrivé une drôle d'aventure. J'entre dans une église. Le prédicateur est en train de parler de Dieu et dit : "Dieu l'Inconnaissable." Je me suis enfui, pensant que je m'étais trompé d'Église. » Alors, agacé, je l'interrompis : « Mais, cher monsieur, aurait-on par hasard remplacé dans le Credo "je crois" par "je sais" ? » Il a souri, il n'y a pas eu de polémique car au fond nous avions raison tous les deux.

Il avait raison de dire qu'il existe une certaine manière de connaître Dieu, mais j'avais raison de rappeler qu'il ne s'agit pas d'une connaissance autorisant à dire « je sais ». La foi n'est ni le fruit de raisonnements logiques, ni le terme d'un calcul mathématique.

En réalité, nous serons amenés à le voir, la foi relève du domaine de l'amour. Certes l'amour n'exclut pas la réflexion. La raison pèse les défauts, les qualités, les avantages, les inconvénients de lier sa vie à telle ou telle personne. Mais la conclusion n'est pas rigoureuse, automatique, absolue comme l'est l'aboutissement d'un calcul mathématique. Il arrive un moment où, quels que soient les raisonnements, il faut plonger – et c'est cela l'acte d'amour. Si je demande à un amoureux : « Mais pourquoi l'aimes-tu ? », il répondra : « Fichez-moi la paix, je n'ai pas d'explication à donner, je l'aime parce que je l'aime. »

Cet échange avec André Frossard m'a conduit à m'interroger sur ma propre expérience de la vie. Je suis en quelque sorte « né croyant » du fait du milieu dans lequel j'ai vécu, de l'éducation que j'ai reçue, des collèges dans lesquels j'ai ensuite fait mes études. Mais comment s'est opérée la succession d'étapes à travers lesquelles, depuis cette touchante ferveur de l'amour de Jésus dans mon cœur de petit enfant, j'en suis venu à cette foi personnelle, adulte, qui m'a conduit à prendre des responsabilités graves impliquant véritablement tout mon être ?

Je vais essayer de survoler rapidement ces étapes. Enfant, on est privilégié par cette sécurité que la foi reçue vous donne. On ne recherche pas de preuves. Quand j'étais petit, je faisais des efforts pour « faire plaisir au petit Jésus ». J'aimais particulièrement la période de Noël, à cause de la crèche. Nous étions huit enfants, chacun d'entre nous avait un mouton près de l'Enfant Jésus avec un ruban de couleur particulier. Selon qu'on avait été sage ou pas, le petit mouton, au moment de la prière du soir que toute la famille réunie venait faire à genoux devant la crèche, était plus ou moins proche du petit Jésus. Et je crois bien me rappeler qu'une fois où j'avais dû faire je ne sais plus quelle sottise mon mouton s'est trouvé sous la table, à l'autre bout de la pièce, au moment de la prière !

Les choses se sont passées à peu près de cette façon jusqu'à la crise profonde que j'ai traversée vers 14 ans. Il y a eu toutefois deux étapes inter-médiaires qui ont certainement joué un rôle consi-dérable.

Ces deux moments de ma jeunesse ont été racontés si souvent ! Mais ne pas les rappeler ici serait absurde.

Je devais avoir 7 ou 8 ans, j'avais été mangé de la confiture en cachette. Quand on s'en est aperçu, on a soupçonné un de mes frères et je me suis bien gardé de me dénoncer pour le disculper. Puis on s'est aperçu que c'était moi le fautif, et on m'a dit : « Eh bien pour ta punition, tu n'iras pas à la fête de famille » chez des cousins qui étaient très privilégiés, très riches, où il y avait toujours les jouets les plus formidables. Le soir, quand reviennent mes frères et sœurs, l'un de mes frères court vers moi, exubérant, et me dit : « C'était merveilleux, il y avait tel jouet, etc. » Je m'entends encore, comme si c'était arrivé ce matin, rétorquer dédaigneusement à mon frère : « Mais qu'est-ce que tu veux que ça me fasse puisque je n'y étais pas ? » Puis je lui tourne le dos et je m'en vais. Peu après mon père vient me prendre par la main, il ne me gronde pas, ne me punit pas, mais m'em-mène dans sa chambre et là, triste, peiné, me dit simplement : « J'ai entendu ce que tu as dit à ton frère tout à l'heure. C'est affreux. Alors il n'y a que toi qui comptes ? Tu n'es pas capable d'avoir de la joie, d'être heureux en sachant que les autres sont heureux ? »

C'était comme si, d'un coup, tout un univers s'écroulait pour faire place à un autre. Comme si je m'étais trouvé dans une pièce obscure et que soudainement une tempête avait ouvert les volets, ouvert la fenêtre, et que je découvrais un autre horizon. Par la peine, par le chagrin de mon père, je percevais un autre ordre de réalité, l'ordre de l'amour, de la bonté, du partage : si tu es heureux, je suis heureux ; si tu souffres, je souffre.

Cette histoire m'a beaucoup marqué. Il en fut de même lorsque, quelques années plus tard, nous apprenons avec un de mes frères que papa veut nous emmener avec lui un dimanche matin. Nous avions constaté que tous les dimanches matin il disparaissait, mais nous ne savions pas où il allait.

Nous arrivons avec lui dans une banlieue sordide de Lyon, dans une salle où se réunissaient peut-être une quarantaine de mendiants, de clochards, de pouilleux. Il y avait là quelques messieurs, cinq, six peut-être, des amis de mon père, des bourgeois comme lui, un général en retraite et des hommes d'affaires. Personne ne savait dans leur entourage ce qu'ils faisaient de leurs dimanches matin. En fait, dans le cadre d'une association, ils s'engageaient à venir coiffer, soigner, faire la barbe à ces clochards. Ils prenaient aussi le linge sale, le faisaient laver et revenaient le dimanche suivant le rendre, apportant une culotte d'appoint, etc. En même temps, ils essayaient d'aider à se sortir du pétrin ceux pour lesquels cela était possible. Mais la plupart en étaient bien incapables, ils ne voulaient surtout pas risquer de perdre ce petit abri où ils avaient au moins un peu de paille et leurs habitudes. Au retour, je me rappelle encore la réflexion de mon père qui s'était fait engueuler par un de ceux à qui il coupait les cheveux (probablement parce que la tondeuse avait tiré une mèche) : « Vous voyez, mes enfants, comme c'est difficile d'être digne de servir ceux qui sont si malheureux ? » Cela aussi m'a beaucoup marqué.

Il est bien évident que ces deux anecdotes ont dû influer sur ma destinée qui sera essentiellement consacrée à servir les plus pauvres.

Les années ont passé. À l'adolescence, un simple raisonnement s'est imposé à moi comme un éclair : « Tu t'apprêtes à t'engager dans la vie d'une certaine manière parce que tu es né dans telle famille ; mais si tu étais issu d'une famille areligieuse, athée, islamique, juive, ou de religion hindouiste, tu ferais d'autres choix. Par conséquent, n'ayant pas fait de recherche personnelle sur ce que tu crois, quelle certitude te reste-t-il ? »

À partir de ce moment-là j'ai lu tout ce qui me tombait sous la main. J'ai cherché. J'ai parlé avec les uns ou les autres, mais discrètement, sans ébruiter le tourment qui m'habitait. Pendant toute une période, j'ai été séduit par les courants plus ou moins panthéistes des poètes et des philosophes allemands.

Imprévisible, s'est alors produit le premier déclic de ma foi personnelle. J'ai lu – ce n'était pas dans la Bible, mais je ne sais plus dans quel livre – le récit de Moïse dans le désert qui voit un buisson brûler sans se consumer (Exode, 3). Moïse s'approche, il entend : « Laisse tes sandales, viens pieds nus, cet endroit est saint. » Et la voix mystérieuse poursuit : « Je t'envoie auprès de Pharaon pour faire sortir d'Égypte mon peuple, les enfants d'Israël. » Et Moïse, simple berger, qui s'était enfui d'Égypte, dit à la voix qu'il entend : « Mais si on me demande le nom de celui qui m'envoie, que répondrai-je ? » La voix lui dit – et ce fut là le premier bouleversement profond de mon être : « Va, et tu diras "Je Suis" m'envoie. »

Ce « Je Suis », alors que j'étais en pleine confusion, fut tout d'un coup comme un roc. C'était un concept d'une simplicité telle qu'il m'éblouissait. À partir de cet instant, la notion du divin a pris pour moi une précision, une netteté, une consistance. Toutes mes pensées flottantes étaient balayées et je portais en moi cette certitude que la vie dans laquelle je me trouvais jeté n'était pas un chemin qui ne mène nulle part mais allait vers une rencontre.

Ma recherche s'est poursuivie. J'ai traversé alors plusieurs périodes marquées par la maladie pendant lesquelles j'ai dû interrompre mes études.

Juste avant la classe de seconde, appelée alors classe des humanités, je tombai anémié. Je fus envoyé en convalescence, six mois au bord de la mer, puis trois mois en haute montagne.

La maladie m'avait retardé d'une année dans mes études, mais ce fut un temps aussi qui m'apprit beaucoup.

Chez les scouts, on m'avait donné un totem : « Castor méditatif ». C'est curieux que des garçons de 14 ans, réunis autour d'un feu de camp, un soir, au beau milieu des cris qui approuvaient ou réprouvaient tel ou tel nom d'animal, aient choisi ces deux mots : « castor » – alors que j'allais passer ma vie à lutter pour faire des logements (le castor, c'est cet animal qui bâtit sa maison) – et « méditatif » – alors que la méditation, c'est vrai, est un des traits de mon caractère : la méditation, plus tard l'adoration, a ainsi accompagné chez moi l'action la plus manuelle, la plus concrète.

Il s'est ensuite produit un autre événement inoubliable, qui allait bouleverser ma vie. Au retour d'un pèlerinage de collégiens à Rome, on s'est arrêtés à Assise. De là, nous sommes montés dans la montagne, à une dizaine de kilomètres de la ville, vers cet endroit qui s'appelle le couvent des Carceri. Saint François et ses premiers compagnons venaient souvent passer des jours, des semaines de solitude et d'adoration dans ces grottes. Après la mort de saint François on a construit un merveilleux couvent, accroché à la montagne.

Après qu'un moine nous eut expliqué la vie de saint François, j'ai quitté le groupe et je suis parti tout seul arpenter une longue allée horizontale à flanc de montagne. J'ai eu alors la double intuition que dans l'adoration il y avait la plus absolue, la plus totale communion universelle avec toute l'humanité et avec la nature tout entière.

En même temps, nourri par l'exemple de la vie de saint François, je découvrais que l'adoration se trouvait être la source la plus extraordinaire de l'action. Et d'une action réaliste, au plus près des drames de l'époque féodale, quand on se battait encore d'un château à l'autre en mobilisant les paysans que l'on faisait s'entre-tuer pour des bagatelles. Dans ce contexte, le tiers ordre créé par saint François a été la première forme d'objection de conscience. Il avait obtenu que les laïques qui faisaient leurs promesses dans le tiers ordre soient assimilés à des gens d'Église pouvant refuser aux seigneurs qui les mobilisaient de partir au combat. C'est l'une des explications de l'extension si rapide du tiers ordre dans le petit peuple : c'était le seul moyen de se libérer du service obligatoire régi par le caprice des seigneurs.

Au retour de ce pèlerinage d'Assise, arrêté de nouveau par la maladie, j'ai eu la chance de mettre la main sur le meilleur livre écrit à l'époque sur saint François, le plus documenté et le plus rigoureux du point de vue historique. La lecture de cet ouvrage, fleurie de mes impressions du passage à Assise, a été décisive. Peu après, j'ai visité les deux principaux ordres de saint François existant en France : les Capucins et les Franciscains. Ces derniers vivaient dispersés en petites communautés dans des appartements. J'ai découvert au contraire chez les Capucins une atmosphère très traditionnelle, monastique, beaucoup plus austère, beaucoup plus dure, où l'on dormait tout habillé sur la planche, où l'on était réveillé toutes les nuits de minuit à deux heures du matin, consacrant de longs moments à l'adoration.

J'ai annoncé à mes parents que l'année d'après, quand j'aurais fini mon deuxième bac, j'entrerais au noviciat des Capucins. Ce fut pour eux une épreuve. Mais ils étaient profondément chrétiens, et ils étaient fiers, ils me l'ont dit, d'avoir un fils prêtre même s'ils auraient préféré que leur fils devînt dominicain ou jésuite, c'est-à-dire dans des ordres où le religieux, selon ses aptitudes, reçoit une formation, devient un spécialiste, un savant. L'ordre des Capucins, en effet, est un ordre populaire où l'on consacre plus de temps à l'adoration qu'à l'étude.

Je suis donc entré au noviciat à 19 ans.

Je m'étais lié d'une amitié profonde avec un camarade de collège qui est devenu par la suite l'un des héros de la Résistance, Tho Morel. Plus tard, on ne le désigna plus que sous le pseudonyme de Tom qui prévalut. Le père Ravier vient de lui

consacrer une admirable biographie : *Tom Morel*
(Le Sarment-Fayard).

Cet ami, apprenant que je devenais capucin,
décide de venir à la prise d'habit. Mais il arrive en
retard et, quand il entre dans la chapelle, il n'y a
plus personne, on est en train d'éteindre les cierges.
Dépité, il demande à voir le père maître des
novices. Il lui parle de notre amitié. Le maître des
novices accepte que nous nous voyions. J'entre
dans le petit parloir où m'attend Tho Morel. Et là,
je suis l'objet d'une scène extraordinaire. Celui qui,
plus tard, allait devenir le créateur de l'héroïque
maquis des Glières et mourir dans un guet-apens
méprisable, donnant sa vie pour l'honneur de la
France, explose de colère, me disant : « Mais Henri
– c'était mon prénom – ce n'est pas toi, ça ! On t'a
tondu, on t'a coupé les cheveux comme si tu sortais
de prison. Tu es pieds nus, tu vas tomber malade,
tu n'as pas de santé. Et qu'est-ce que c'est que ce
froc avec lequel on t'a déguisé ? Va te rhabiller, tu
repars avec moi ! »

J'ai laissé passer sa colère. Nous sommes restés
une heure ensemble. Et petit à petit je lui ai
expliqué ce qui m'avait motivé, quel cheminement
s'était fait en moi. Il ne comprenait pas, mais il a
accepté. Il est reparti apaisé, emportant le souvenir
d'un mystère qui le dépassait.

J'ai passé l'année de noviciat, celles de philosophie puis de théologie (six ans et demi au total)
dans les mêmes conditions : pieds nus, dormant sur
la planche, et réveillé toutes les nuits à minuit pour
réciter des psaumes, une heure durant, puis, une
deuxième heure, prier dans l'obscurité.

Je peux dire aujourd'hui ma certitude que tout
ce que ma vie a eu depuis de positif a été le fruit
de ces années passées au couvent. Je porte en moi

la certitude que si je n'avais pas été conduit par la Providence à consacrer ces années à l'adoration, jamais ce que j'ai fait par la suite n'aurait existé.

Après avoir été ordonné prêtre, durant quelques mois, j'ai été détaché du couvent et j'ai pu suivre des cours à l'Institut catholique de Lyon. L'un de mes professeurs était l'admirable père de Lubac. Il fut le prêtre qui m'assista à ma première messe et resta jusqu'à sa mort, survenue peu après qu'il eut été promu cardinal, mon directeur de conscience.

L'année d'après mon ordination, je suis retombé malade et les médecins ont insisté pour que j'aille à la montagne. Le père de Lubac et d'autres m'ont dit alors : « Demandez à Rome d'être détaché de l'ordre des Capucins et demandez à l'évêque d'un diocèse montagneux de vous accueillir parmi ses prêtres. » J'ai obtenu la permission de Rome, et l'évêque de Grenoble a accepté de me prendre chez lui. Je suis ainsi devenu prêtre diocésain. Mon supérieur depuis cette époque – et cela fait maintenant soixante ans – est l'évêque de Grenoble. J'ai été évidemment un canard sauvage, bien peu présent dans le diocèse par la suite...

Quand la guerre et la débâcle sont arrivées, j'étais hospitalisé pour une pleurésie et je n'ai donc pas participé à la déroute parfois héroïque de 39-40.

Quand je fus à peu près rétabli, l'évêque m'appela comme vicaire de la cathédrale de Grenoble. Une autre page de ma vie et de ma foi allait s'ouvrir avec l'entrée dans la Résistance, à vrai dire pas du tout pour des motivations politiques mais du fait des persécutions raciales comme je l'ai déjà évoqué au début de ce livre. Quand vint la Libération, je fus élu député et c'est alors que naquit, je l'ai raconté aussi, le mouvement Emmaüs.

Ainsi, d'étape en étape, ma foi naïve d'enfant s'est-elle muée en une foi personnelle qui a motivé les choix les plus importants de ma vie.

Si je regarde en arrière ce long parcours, je peux dire que ma vie aura été principalement une vie de foi. D'une foi qui, je voudrais maintenant le faire comprendre, est indissociable de l'amour.

Chapitre 2

Qu'est-ce que la foi ?

Le titre donné à cette deuxième partie du livre,
« Certitudes de l'inconnaissable », peut surprendre.
Mais quand on approche de plus près les réalités
vécues de la foi, elle s'éclaire d'une lumière saisis-
sante.

Tournons-nous par exemple vers Thérèse de l'Enfant Jésus. Souffrante, presque mourante, elle était
soignée à l'infirmerie et elle aimait, dans ses insom-
nies, gribouiller des cantiques sur de petits bouts de
papier. La sœur infirmière, un jour, lisant quelques-
uns de ces papiers, lui dit : « Oh, ma sœur, que vous
avez de la chance d'avoir une telle foi, un tel amour
de Dieu qui vous fait écrire de si belles choses ! »
Et Thérèse de murmurer : « Mais ma sœur, je chante
ce que je veux croire. »

La foi est une certitude qui porte sur une réalité
non évidente. Pour le comprendre, reprenons l'analogie de l'amour. Des personnes qui vivent
ensemble peuvent avoir la certitude d'aimer ou
d'être aimées, en dépit des moments de lassitude,
d'agacement, de difficulté. Cette certitude qui n'est
pas démontrable est éprouvée au-dedans. C'est exactement le cas de la petite sainte Thérèse. Elle chante
dans ses petits cantiques ses certitudes de foi et son

amour de Dieu, mais Celui-ci reste mystère, inconnaissable.

Un jour, l'un de mes innombrables neveux m'a
dit : « Mais enfin mon oncle, comment peut-on
penser que Dieu s'occupe de chacun de nous ? S'il
y a maintenant 6 milliards d'habitants sur la Terre,
comment est-ce possible ? » Je lui ai répondu :
« Dieu est. Dieu nous environne. Nous n'existons
que parce qu'Il est avec nous, parce que sa volonté
veut que nous soyons, nous existions. Que sa
volonté cesse, nous cessons d'être. L'atmosphère,
cet air se renouvelant et enveloppant toute créature
vivante, entretient pour moi un rapport d'analogie
avec le mystère de Dieu. Il est partout. Il est en tout.
Tout est par Lui, en Lui. Et en même temps, Il reste
inconnaissable. »

Autre exemple. On s'est beaucoup interrogé, du
temps où il était engagé dans des responsabilités
politiques et depuis que Dieu l'a rappelé à lui, sur
François Mitterrand. Était-il croyant, n'était-il pas
croyant ? Il ne s'affichait pas, il n'allait pas à la
messe comme de Gaulle. On savait qu'il avait eu
une éducation chrétienne, qu'il avait fréquenté des
collèges catholiques. À mesure qu'il avançait en
âge, il avait des petits mots, des petits riens qui
montraient qu'il pensait à un au-delà.

Plusieurs fois, il a abordé avec moi la question de
la mort. Cette question a été, tous ses amis le savent,
la grande interrogation de sa vie. Et cela n'avait rien
à voir avec de la peur. C'était la curiosité d'un
homme qui avait une grande culture scientifique et
philosophique, et surtout une constante curiosité de
tout. Il a tenu à mourir lucidement. À la fin, m'a-
t-on dit, il a refusé de prendre certains médicaments,
d'absorber certaines drogues parce qu'il ne voulait
pas prolonger artificiellement sa vie. À un ami lui

demandant : « Que diras-tu à saint Pierre en arrivant ? » il a répondu : « C'est saint Pierre qui me dira : "Maintenant tu sais." » N'est-ce pas un propos de croyant ? Je saurai ce que je ne sais pas. Mais « je saurai » signifie aussi « je serai », j'existerai, et la connaissance de la réalité ultime me viendra. D'un autre côté, tant que je suis dans les ombres du temps, je peux certes avoir des certitudes, mais elles portent sur de l'inconnaissable.

Lors du dernier entretien que nous eûmes ensemble, qui dura trois heures, il me demanda : « Mais, dans une longue vie de péripéties comme la vôtre, avec ses coups durs et ses joies, n'avez-vous jamais connu le doute ? » Je lui répondis : « Si. À 16 ou 17 ans, j'ai connu le doute absolu par rapport à tout ce qui m'était enseigné. Puis la foi a chassé le doute. Mais une fois le doute vaincu, ma vie n'a jamais cessé d'être tissée d'interrogations. »

S'interrogeant sur la foi, il est fréquent que des compagnons me disent : « Mais Dieu qu'est-ce que c'est ? » Ordinairement je leur réponds : « Rappelle-toi, tel jour on est rentrés un soir fatigués, on avait froid, on avait mal mangé, et on ne rapportait rien à la communauté. On avait travaillé toute la journée à retaper une mansarde pour refaire un petit logement pour des vieux, et sur le retour tu m'as dit : "Père, que je suis heureux de ma journée." Et tu me demandes maintenant : Dieu, qu'est-ce que c'est ? Eh bien n'oublie jamais cette joie, si différente des autres, que tu ressentais à ce moment-là. Tu recevais le don le plus merveilleux qui puisse exister, ce que les théologiens appellent le don de sagesse. La sagesse, ça ne veut pas dire être sage, ne pas faire de sottises. La sagesse c'est *sapere*, le mot latin qui signifie « savourer », « goûter ». À ce moment-là tu goûtais comme c'est bon d'aimer. C'était Dieu que tu rencontrais et qui chantait en ton cœur. Et tu pourrais connaître des bibliothèques entières de théologie, tu aurais des idées sur Dieu mais tu ne le connaîtrais pas. Alors que dans ce sentiment de joie, une joie inexprimable, indicible, tu goûtes Dieu. »

Dans le message chrétien, la foi est totalement indissociable de l'amour puisque Dieu est Amour.

Je ne crois pas à Dieu. Je ne crois pas en Dieu. Je crois en Dieu Amour en dépit de tout ce qui semble le nier. C'est son Être même d'être Amour, c'est sa substance. C'est pourquoi je suis convaincu que le partage fondamental de l'humanité ne passe pas entre ceux que l'on dit croyants et ceux que l'on nomme ou qui se nomment eux-mêmes non-croyants. Il passe entre les « idolâtres de soi » et les « communiants », entre ceux qui devant la souffrance des autres se détournent et ceux qui luttent pour les libérer. Il passe entre ceux qui aiment et ceux qui refusent d'aimer. Je n'oublierai jamais Coluche. Nous nous sommes rencontrés quelques mois avant sa mort sur le champ de bataille de la faim. À la demande de sa mère, j'ai célébré ses funérailles. Si la jeunesse le pleure, c'est pour le remercier d'avoir démasqué l'hypocrisie de notre société bien élevée : il était un témoin qui dénonce et agit. Et c'était un authentique « communiant ».

Le plus grand nombre des apparemment non-croyants n'est-il pas composé de ceux qui n'ont vu, dans l'image de Dieu suggérée sous leurs yeux par la communauté des croyants, qu'une image méconnaissable ? Les blasphèmes qui montent en multitude de la terre ne sont pas lancés contre Dieu vrai, contre Dieu Amour. Ils sont lancés à la face des faux dieux, façonnés par les égoïsmes, les hypocrisies, les intérêts politiques.

Le seul blasphème, c'est le blasphème contre l'Amour.

Comme il est bon de se ressouvenir ici des Béatitudes, ces paroles parmi les plus fortes de Jésus. Nous ne les relirons jamais assez.

À la vue de la foule, il gravit la montagne.
Et lorsqu'il est assis, ses disciples s'approchent.
Il parle, il les instruit.

Heureux sont-ils les cœurs de pauvre !
le Royaume est à eux.

Heureux les doux ! ils hériteront de la terre.

Heureux les affligés ! ils seront consolés.

Heureux les affamés et les assoiffés de justice !
car ils seront rassasiés.

Heureux tous les miséricordieux !
ils obtiendront la miséricorde.

Heureux ceux dont le cœur est pur !
ils verront Dieu.

Heureux les artisans de la paix !
on les reconnaîtra pour fils de Dieu.

Heureux, qui est persécuté pour la justice !
le Royaume est à lui.

Oui, heureux serez-vous d'être persécutés,
perversement traités,
pour me rester fidèles.

Lors, réjouissez-vous, tressaillez d'allégresse
car votre récompense est grande dans les cieux ;
c'est ainsi en effet qu'on a persécuté
les prophètes anciens.

(Matthieu, 5)

J'ai depuis longtemps médité ce message de Jésus. Or, voici une quinzaine d'années, je devais m'adresser à une foule de jeunes dans les arènes de Vérone en Italie. Le texte des Béatitudes avait été fixé sur d'immenses banderoles par ces jeunes. Attendant mon tour d'intervenir, j'avais tout le temps de lire et relire. C'est alors que je découvris ce à quoi jusqu'ici je n'avais jamais été attentif : toutes les Béatitudes sont au futur, sauf deux qui sont au présent (la première et la dernière). La première : *Bienheureux les pauvres de cœur, le Royaume des Cieux est à eux.* La dernière : *Ceux qui souffrent persécutés pour la justice, le Royaume des Cieux est à eux.* Ce n'est pas le futur. Le Royaume des Cieux est déjà là.

Pauvre de cœur, qu'est-ce que cela signifie ? Cela ne veut pas dire avoir distribué tous ses biens comme saint François. Cela veut dire : que je sois chef d'État ou chef d'entreprise ou responsable syndical, ou enseignant, est-ce que chaque soir je me demande : Qu'est-ce que j'ai fait de mes pouvoirs, de mes privilèges, de mes dons, de mon savoir, pour le service des plus faibles, des plus démunis ? Celui qui s'interroge ainsi est pauvre de cœur.

Et la dernière Béatitude ne veut pas dire qu'il faut nécessairement mourir martyr. Mais que du jour où il se trouve trois humains et que le plus costaud d'entre eux veut exploiter le plus faible tandis que le troisième, se plaçant entre eux, déclare : « Tu ne pourras plus blesser ce faible sans me tuer auparavant », le Royaume des Cieux est déjà sur terre. Dieu merci, combien de ceux-là mêmes qui se disent étrangers à la foi sont en réalité, par le don d'eux-mêmes pour protéger le faible, des fils de Dieu. Même s'ils ne veulent pas de curé, ni d'Église, ni de Credo, engageant leur vie pour la défense des droits et la dignité des plus faibles, ils sont de ceux avec qui le Royaume des Cieux s'élabore. Oui, c'est ce que dit l'Évangile. Et c'est cela l'éthique chrétienne.

C'est souvent l'échec de l'Église et de la communauté des nommés croyants de ne pas parvenir à rendre croyable que Dieu est Amour. N'est-ce pas parce que, aussi vigilants soyons-nous sur l'exactitude de la doctrine, l'exactitude de la foi, nous ne vivons pas *d'abord* l'essentiel du message : « Aimez-vous les uns les autres comme je vous ai aimés » ?

Si elle n'est pas vécue dans l'amour, la foi reste comme un phare éteint. C'est là le cœur du message du Christ. Saint Paul l'exprime à merveille dans cet hymne :

*Je peux parler toutes les langues
de la terre et du ciel, si je n'ai pas l'amour,
je ne suis qu'un métal sonore
ou une cymbale qui retentit.*

*Ai-je reçu le don de prophétie,
approfondi tous les mystères,
possédé toute la connaissance
et une foi à transporter les monts ?
si je n'ai pas l'amour, je ne suis rien.*

*Distribuerais-je tous mes biens,
livrerais-je mon corps aux flammes,
si je n'ai pas l'amour, qu'ai-je de bon ?*

*L'amour est longanime et serviable ;
en lui ni jalousie, ni forfanterie, ni orgueil,
ni rien de malséant.*

L'amour ne cherche pas son intérêt,
ignore la colère et la rancune,
ne se plaît pas dans l'injustice,
mais se réjouit de la vérité,
excuse tout, fait confiance en tout,
espère tout, endure tout.

L'amour jamais ne passe.

(Corinthiens, 1, 13)

Chapitre 3

Trois certitudes

L'essentiel de ma vie de foi, en dépit des atrocités qui nous blessent tous, repose sur trois certitudes. Le premier fondement de ma foi, c'est la certitude que l'Éternel est Amour. Le deuxième fondement, c'est la certitude d'être aimé. Et le troisième, c'est la certitude que la liberté humaine n'a pas d'autre raison d'être que de nous rendre capables de répondre par notre amour à l'Amour.

Je me souviens d'une anecdote. Il y a plusieurs années, des amis avaient décidé de tourner un film sur l'hiver 54. Le producteur, jeune homme reprenant sur ses épaules le fardeau laissé par son père décédé, vient me dire : « Voici que commence le Festival de Cannes. Nous voulons faire ce film, mais nous n'avons pas assez d'argent. Il nous faut trouver des coproducteurs. Vous nous rendriez un grand service si vous acceptiez de venir au Festival. Là, les producteurs du monde entier sont présents, à l'affût d'idées à saisir. Si Yves Mourousi vous interrogeait deux minutes au journal télévisé, tous les producteurs le sauraient. Nous n'aurions plus que l'embarras du choix. »

Je m'y suis rendu. À mon arrivée, la caméra du
« Vingt heures » était déjà embarquée sur un bateau.
Tandis que je m'apprêtais à y monter, un ami me
dit : « Vous n'avez pas de veine, trois grands acteurs
viennent de monter, ils seront sûrement dans la
même interview que vous, et l'un des trois est
souvent un "bouffeur de curés" : cela ne va pas être
drôle pour vous. – On verra bien ! » Je monte.
Mourousi fait les présentations. Les trois en question
venaient parler du film *Sous le soleil de Satan* :
c'étaient Sandrine Bonnaire, Gérard Depardieu et
Maurice Pialat, lui, la « grande gueule », le « bouffeur de curés ».

Yves Mourousi commence son interview. Quand
mes trois compagnons de navigation ont fini de
répondre, Mourousi se tourne vers moi : « Alors,
l'Abbé Pierre, vous voilà aussi dans le cinéma ? »
J'ai répondu ce que je ressens aujourd'hui très fort :
« Oui, parce que, quand on devient vieux, on a l'impression d'entendre une voix au-dedans qui vous
dit : "Avant de t'en aller, dis-nous ce que tu sais !"
Et ce que je sais, c'est que la vie est un temps donné
à des libertés pour, si tu le veux, apprendre à aimer
pour la rencontre de l'Éternel Amour dans le
toujours de l'au-delà du temps... » Un silence. Et,
soudain, le terrible Pialat s'écrie : « Pourquoi ne
m'a-t-on pas appris cela quand j'étais enfant ? » Ce
fut un moment extraordinaire.

On nous enseigne de justes croyances. Peut-être
nous aident-elles à vivre. Mais contraints de les
retenir, on les refuse très vite. D'autant que nous ne
comprenons pas toujours ce que signifient les choses
qui nous sont assenées. Le lendemain de l'émission
au cours de laquelle Pialat avait lancé ce cri, il a
parlé à des journalistes de son éducation
catholique : on lui parlait du diable, de l'enfer, on

lui disait : « Sois sage, ou tu seras puni par le Bon
Dieu. » Et il a ajouté n'avoir jamais entendu lier
Dieu avec Amour et liberté. Tel était son cri :
« Pourquoi ne m'a-t-on jamais appris cela ? »

C'est pourtant le fondement même de la foi chrétienne, du moins telle que je l'ai comprise en lisant
l'Évangile. « Dieu est Amour » est le leitmotiv du
Nouveau Testament. Dieu est inconnaissable, on ne
peut rien dire de lui sinon qu'Il est Amour, qu'Il se
donne. Et j'ai toujours envie de préciser : Dieu est
Amour *quand même* ! Malgré toutes les atrocités,
malgré la souffrance de tant d'hommes et de
femmes, malgré les guerres et les épidémies. Oui, je
crois que Dieu est Amour *quand même*.

Ma deuxième certitude, c'est que nous sommes
aimés *quand même*. L'Évangile ne cesse de nous le
rappeler : « Car Dieu a tant aimé le monde, qu'il a
envoyé son Fils dans le monde pour que le monde
soit sauvé par Lui » (Jean, 3). Tout au long de sa
vie publique, Jésus a posé un regard d'amour sur
tous ceux qu'il rencontrait : il a aimé Pierre, Jean,
Nathanaël et tous les apôtres. Il a aimé la femme
pécheresse, Marie de Magdala, Zachée, la Samaritaine. Il a aimé le paralytique de la piscine de
Bézatha, la veuve de Naïm, le centurion romain,
Nicodème. Il a aimé aussi Judas.

Le Christ nous a révélé par sa personne et par sa
vie que Dieu est comme un père qui aime infiniment
chacun de ses enfants, aussi turbulent soit-il. Même
pécheur, même révolté, même enfoncé dans le mal,
l'homme reste aimé de Dieu, car l'Amour ne se
retire jamais, il se diffuse sans cesse. Seul l'homme
peut librement refuser cet Amour et mettre un écran
à ce rayon de lumière toujours offert.

N'est-ce pas Pascal qui disait si justement : « La lumière de Dieu est assez forte pour que celui qui le veut bien puisse croire, et l'obscurité de Dieu est suffisante pour que celui qui refuse de croire n'y soit pas contraint. »

L'amour en effet implique le respect absolu de la liberté de l'autre. Si je suis contraint d'aimer, ce n'est plus de l'amour. Et c'est là la troisième certitude de ma foi : l'homme est libre d'aimer ou de ne pas aimer. Dans cet immense cosmos composé de milliards de galaxies, l'homme est à notre connaissance la seule créature dotée de liberté. Aussi infime soit-il au regard de l'immensité cosmique, l'homme a une valeur infinie car il est un être capable de liberté, et cette liberté le rend capable d'aimer. C'est cela la dignité de l'homme.

Quand on me pose la question : « Pourquoi venons-nous sur terre ? », je réponds simplement : « Pour apprendre à aimer. » L'univers entier n'a de sens que parce que, quelque part, existent des êtres dotés de liberté. L'homme, cet être infime, sur une planète minuscule, peut être écrasé par l'univers, mais il est plus grand que l'univers, comme dit Pascal, parce qu'il sait qu'il meurt, et qu'il peut mourir en aimant. Pour que l'amour soit possible, il ne suffit pas qu'il y ait des océans, des glaciers et des étoiles, il faut qu'il y ait des êtres libres. Aussi effrayante soit-elle parfois, la liberté humaine ne peut être effacée. Heureusement, il y a l'aide de Dieu que nous appelons la grâce.

Je recours souvent à ce propos à l'image du bateau. Notre liberté consiste à tirer sur l'écoute pour tendre la voile. Mais elle ne peut pas à elle seule faire avancer le bateau : encore faut-il que le vent souffle. Mais d'un autre côté, si le vent, l'Esprit saint, souffle et que la voile n'est pas tendue, le bateau n'avancera pas non plus... Dieu a besoin de notre accord pour nous faire avancer. Et j'ajouterai qu'il relève aussi de la responsabilité de l'homme de choisir le cap, la direction qu'il veut donner à sa vie. Il tient le gouvernail et tend la voile. Alors le souffle divin peut le conduire à bon port.

Évidemment, la liberté peut conduire aux pires atrocités. Je suis libre d'aimer ou de ne pas aimer. Si je veux être libre sans but, user de ma liberté selon mon caprice, très vite ma liberté sera détruite. On n'a pas su enseigner que la liberté ne consiste pas à pouvoir faire ceci ou cela, mais qu'elle est *pour*. Pour aimer.

Les animaux aiment, mais ils aiment sans liberté, ils aiment par un instinct qui les détermine. Ils sont capables de se mettre en péril, d'être tués pour protéger leurs petits, mais quand les petits seront devenus grands ils se battront avec eux, ils n'agiront qu'en fonction de leur instinct. L'homme est le seul à posséder la liberté. Mais celle-ci doit être éduquée, sans quoi elle risque d'être réduite à servir l'égocentrisme de l'individu. Elle engendrera alors des peurs chez les autres, et l'on entrera bien vite dans la spirale trop connue de la violence, de la guerre, de la haine sans fin.

Oui, la liberté peut avoir des conséquences redoutables – et n'est-ce pas la raison pour laquelle tant d'humains préfèrent les animaux aux hommes ? – mais c'est le prix à payer pour que l'amour existe.

S'il n'y avait pas de liberté, il n'y aurait pas d'amour, et la vie serait dénuée d'intérêt et de sens.

Une amie me parlait un jour de sa petite fille à qui elle expliquait la foi. La petite lui avait dit : « Mais maman, quelle gaffe il a fait le Bon Dieu quand il a donné à l'homme la liberté ! S'il n'y avait pas de liberté, ça serait merveilleux ! Tous les humains sur la terre seraient comme les étoiles qui tournent rond et qui jamais ne se bagarrent. » Sa maman lui a répondu : « Tu as raison, mais si Dieu n'avait pas fait cette gaffe comme tu dis, tu n'aurais pas de maman pour t'aimer et je n'aurais pas de petite fille pour m'aimer. Nous serions des automates, les uns à côté des autres. » À quoi bon ?

Chapitre 4

Les trois visages de l'Amour

Dieu est Amour quand même. Nous sommes aimés quand même. L'homme est libre d'aimer ou de ne pas aimer. Voilà donc les fondements essentiels de ma foi.

Je crois que beaucoup d'hommes religieux non chrétiens peuvent partager ces convictions. La Révélation, cette secrète parole de Dieu aux hommes, invite à explorer davantage encore le mystère de Dieu.

Les théologiens ont ainsi tenté, au cours des premiers siècles après la mort du Christ, de nous faire approcher davantage des mystères les plus fondamentaux dont Dieu nous parle : celui de la Trinité, celui de l'Incarnation, et celui de la Rédemption.

C'est, pour ainsi dire, dans le clair-obscur de ces mystères qu'a cheminé toute ma vie d'homme de foi.

Au-delà en effet de la découverte de ce simple « Je Suis » qui avait renouvelé ma foi, m'est arrivée la connaissance de ce qu'à ce « Je Suis » on ne peut rien ajouter d'autre que le mot « Amour ». « Je Suis Amour » est la seule chose que nous pouvons dire de Dieu.

J'ai alors progressivement découvert le mystère qui paraît d'ordinaire le plus contraire à la raison, le plus difficile à concevoir : le mystère de la Trinité. C'est auprès de lui que mon esprit trouve le plus de lumière et d'énergie.

Si Dieu est Amour, comme tout amour il est diffusif de soi. Qu'est-ce que c'est que l'amour ? L'amour c'est ce qui fait « être plus », hors de soi. Non pas en nous effaçant, l'amour n'est pas une négation du moi. Il fait « devenir plus » en sortant de soi.

L'amour se dit, se donne. Ce don de soi de l'Éternel est ce que nous allons nommer par analogie le Verbe, le Fils. Et Dieu, donné et ne cessant de se donner, ne peut pas ne pas être en exultation, en adoration – pour employer nos mots humains approximatifs – devant l'image de lui-même qu'est le Verbe, le Fils. Et le Verbe ne peut pas ne pas être en semblable adoration et exultation devant le Père dont il est l'image parfaite. Ainsi, tout naturellement, est le vent de l'Esprit. Que ce mot Esprit est bien choisi, « souffle », « vent » ! Les mystiques n'hésitent pas à dire : « L'Esprit saint c'est le souffle d'un baiser mutuel du Père et du Verbe s'aimant. »

Pour exprimer ce brasier d'amour et de joie qui est la vie même de l'Éternel, les théologiens ont eu du mal à trouver un mot. Ils n'ont su nous proposer que celui, un peu glacial, de Trinité. C'est qu'il s'agissait de nommer ce qui est bien au-delà de tout ce que peut concevoir la pensée humaine, distinguer au sein de l'unité divine, par le prodige de l'amour, trois personnes : le Père, comme une source qui se donne au Fils et, de cet échange d'amour, le baiser divin, l'Esprit saint.

C'est comme si ce mystère nous permettait de soulever un tout petit coin du voile de la vie intime de l'amour en Dieu, ce tourbillon au cœur de l'immuable.

Curieusement, alors que ce mystère de la Trinité semble si compliqué à tant de chrétiens, il a été durant toute ma vie un des points d'appui les plus évidents et les plus constants de ma foi.

La Révélation chrétienne nous parle d'un deuxième grand mystère : celui de l'Incarnation. Le Verbe de Dieu, la seconde personne de la Trinité, s'est fait chair en l'homme Jésus. Saint Jean, mieux qu'aucun autre, exprime cette union en une seule personne de l'Amour infini donné et de la liberté humaine créée.

Au commencement, il y avait le Verbe.
Le Verbe était avec Dieu, et le Verbe était Dieu.
Le Verbe est avec Dieu depuis le commencement.

Par lui, Dieu a tout fait, et rien
de ce qui a été fait n'a été fait sans lui.
En lui était la Vie, et cette vie
donnait la lumière aux hommes.
La lumière brille dans les ténèbres
et les ténèbres n'ont rien pu contre la lumière.

Il y eut un homme envoyé par Dieu. Son nom est
                                        Jean-Baptiste.
Il est venu pour la lumière, comme un témoin,
afin que tous croient, à l'aide de ce qu'il affirme.
Il n'était pas la lumière, mais le témoin
qui déclare qu'elle est.

Le Verbe, lui, est la vraie lumière,
celle qui éclaire tout homme, et qui vient dans le
monde.

Il est dans le monde qui a été fait par lui,
et le monde ne l'a pas reconnu. Il est venu
chez les siens, et les siens ne l'ont pas accueilli.
[...]
Et le Verbe est devenu chair.
Il a demeuré parmi nous,
et nous avons contemplé sa gloire, cette gloire
qu'il tient du Père comme Fils unique,
riche du don de Dieu et de sa vérité.
[...]
Personne n'a jamais vu Dieu,
mais le Fils unique qui est dans le sein du Père,
lui nous l'a fait connaître.

(Jean, 1, 1-18)

Toute ma vie de croyant, chaque jour, fut éclairée par cette parole inouïe jusque dans les moments d'obscurité qui l'ont ponctuée : « Le Verbe s'est fait chair. »

Voici qu'en l'Incarnation du Verbe Dieu Amour se donne réellement aux hommes, se fait réellement nôtre. Quel autre acte aurait pu mieux dire aux hommes l'amour de l'Éternel ? Dieu épouse la condition humaine pour que l'homme puisse entrer dans le feu et la joie de l'Amour Trinitaire.

« Dieu s'est fait homme pour que l'homme devienne Dieu », écrivait saint Irénée. Ce mystère de l'Incarnation, qui est au fondement même de la foi chrétienne, a irrigué ma prière et nourri ma contemplation de Dieu Amour.

Cela dit, je dois ajouter que l'Incarnation laisse ma pauvre intelligence bien plus insatisfaite que je ne le suis par le mystère de la Trinité.

L'une des questions qui ne cessent de jaillir en moi, interpellant Jésus, est de savoir comment il a pu exister dans cette personne unique, Jésus, le Verbe incarné, deux ordres de connaissance. Puisqu'il était le Verbe, le Christ, il n'a pas perdu un seul instant la vision béatifique, la contemplation, l'adoration du Père, d'où procédait l'Esprit. Et, pourtant, dans son humanité il était totalement homme. Ce n'était pas *comme si* il était homme ! Il a dû, petit enfant, apprendre à marcher, à faire sa toilette, aller à l'école, apprendre à lire, aller à la synagogue et apprendre la loi, la Torah. Il a eu la connaissance progressive d'une connaissance humaine en même temps qu'il vivait l'Infini de la perfection du Verbe.

Plus tard, à la fin de sa vie, le même Christ va, en peu d'instants, dire au bon larron sur la croix : « Aujourd'hui même tu seras avec moi au Paradis. » Et dans le même temps, la même personne s'écrie : « Père, Père, pourquoi m'as-tu abandonné ? » C'est bien là le mystère le plus impénétrable, mais aussi le plus dramatique, le plus poignant, le plus susceptible de nous attacher, mystérieusement, à la personne du Christ.

Oui, il a souffert comme souffre tout homme torturé.

Oui, aussi, il a pu ne jamais cesser de dire : « Gloire au Père. »

Il y a un autre point où le mystère de l'Incarnation me fait crier vers Jésus en interpellation constante. Si l'on considère les millénaires écoulés depuis l'apparition du premier homme libre et responsable, et si l'on considère l'espace de la planète Terre, on ne peut pas ne pas dire : « Mais, Seigneur, pourquoi si tard ? Et pourquoi avec des moyens si minuscules, pourquoi ne pas apparaître aujourd'hui où la Parole divine serait accueillie par les antennes paraboliques à travers toute la terre et mettrait la Révélation à la portée de tous ? »

Chapitre 5

La rançon

L'Évangile nous révèle que l'Incarnation du Verbe a eu lieu en vue du salut de l'humanité : « Car Dieu a tant aimé le monde, qu'il a donné son Fils unique afin que quiconque croit en lui ne se perde pas, mais ait la vie éternelle. Car Dieu n'a pas envoyé son Fils dans le monde pour juger le monde, mais pour que le monde soit sauvé par lui » (Jean, 4).

Très longtemps, je suis resté mal à l'aise devant ce que les autorités ecclésiastiques ont laissé dire au sujet de la Rédemption. Et cela, ici ou là, est encore de nos jours parfois prêché.

Mon insatisfaction provient de la parole énigmatique de Jésus : « Le Fils de l'Homme n'est pas venu pour être servi mais pour servir, et donner sa vie en rançon pour la multitude. »

Avant tout, bien sûr m'émerveille le mot « pour la multitude ». Nous avions tant été habitués, par notre étroite éducation, au slogan : « Hors de l'Église, point de salut. » Et cela sans explication. Or on estime actuellement qu'il y aurait eu peut-être entre quatre-vingt-dix et cent milliards de personnes humaines depuis que l'homme existe. Sur ces cent milliards, quel est le pourcentage de ceux qui ont été atteints par la connaissance de la Révélation historique ? C'est infime ! Admettre que Dieu se soit borné à apporter le salut à ce petit nombre, ce serait révoltant. Non, Jésus est venu apporter le salut pour la multitude, c'est-à-dire bien au-delà du cadre de la Révélation historique et des frontières visibles de l'Église.

Ne faut-il pas comprendre les mots : « Pour que quiconque croit en Lui ait la Vie Éternelle » avec cette exigeante équité en vertu de laquelle certains affirment que tout humain, bien que n'ayant rien pu savoir de Jésus, est, comme n'hésite pas à le dire le cardinal Ratzinger, déjà membre invisible de l'Église du salut s'il obéit loyalement à la voix de sa conscience ?

Reste à comprendre le mot de Jésus qui affirme être venu donner sa vie *en rançon*. Qu'est-ce que cela peut signifier ? Qui est le rançonneur, le brigand qui réclame la rançon ?

Il y a eu au cours des siècles deux courants de pensée à ce sujet. D'abord cette interprétation très naïve : puisque par le péché l'homme s'est abandonné à Satan, il lui appartient – et c'est donc au Diable que la rançon doit être apportée pour qu'il relâche l'otage. Nombreux sont encore ceux qui n'ont entendu dans leur enfance que ces mots chargés de menace : « Sois sage, sinon tu seras au Diable. » N'est-il pas absurde, ontologiquement absurde, de penser que le Bien absolu, le Verbe de Dieu, le Christ, puisse se donner à Satan ? C'est impensable, inacceptable.

En réaction à ce courant de pensée si naïf et si simpliste, s'est développée en plein Moyen Âge une autre interprétation du mot rançon. Comment les choses se passaient-elles en droit féodal en cas de délit ? Quand une personne de rien, quelque pauvre paysan par exemple, crachait sur un seigneur ou jetait des pierres sur son passage, il commettait un acte très grave dans la mesure où sa victime était un personnage important. La gravité de l'offense se mesurait au statut de celui qui était offensé. Si celui qui avait lancé les pierres était un sujet du seigneur lui-même, celui-ci le pendrait et c'en serait fini. Mais s'il était le serf d'un autre seigneur voisin, pour que soit évitée la guerre, il fallait que l'offense soit compensée par une réparation à la mesure de la dignité de la victime. Et c'est ainsi que la réparation se mesurait au rang du diplomate qui venait présenter les excuses à l'offensé.

De la même façon, puisque par le péché c'est l'infini de Dieu qui a été offensé, il fallait, selon les usages du temps, que soit « infini » le réparateur. C'est pour cela, explique saint Anselme (ou plutôt le moine avec lequel il dialogue sans jamais le corriger), que le Verbe, le Fils de Dieu, s'est fait homme : pour qu'à la fois un homme bien réel, mais revêtu d'une dignité infinie, égale à la dignité de l'Offensé, présente la demande de pardon.

L'école de saint Anselme a pris un nom dans la tradition théologique, qui m'est, je dois le dire, insupportable, celui de « théologie de la satisfaction ». Le mot satisfaction signifiant ici : « Est-ce assez ? » Jésus, par le couronnement d'épines, la flagellation, le portement de croix, la crucifixion, se faisait réparateur qui vient présenter les excuses, s'adresserait au Père comme pour lui dire : « Avez-vous votre compte ? Est-ce assez, ou en faut-il un peu plus ? Est-ce que cela vous suffit ? » C'est horrible, épouvantable. Cela revient à présenter une caricature de Dieu, qui n'a rien à voir avec Dieu des Évangiles. Le père de l'enfant prodigue ne demande pas à son enfant après qu'il a dilapidé son bien :

« Rends-moi tes comptes ! Présente les factures !
Dis-moi combien tu as dépensé avec les prostituées,
etc. » Le père pardonne tout, tant il est dans la joie
d'avoir retrouvé son enfant. Cette doctrine de la
« satisfaction », indirectement, a induit dans les
mentalités la notion de Dieu vengeur, despote,
exigeant une justice implacable. Elle a enfermé
l'homme dans la culpabilité au lieu de le libérer dans
l'accueil de la bonté infinie de Dieu.

Les impasses et les aberrations auxquelles
conduisent ces deux interprétations m'ont progressivement conduit à une autre compréhension, que le
cardinal de Lubac approuvait. Cet ami de longue
date et ce grand théologien, qui n'était pas un témé-
raire se risquant imprudemment à des choses
nouvelles, m'a redit quelques jours avant sa mort :
« Votre compréhension de la rançon est importante
et il faut que vous la diffusiez. Elle peut s'exprimer
d'une manière claire et simple, compréhensible pour
tout le monde. »

Tout est parti pour moi d'une réflexion devant le
problème des drogués. Car le drogué est à la fois
son propre bourreau et la victime. Il est à la fois le
brigand et l'otage. Cela m'a conduit à réfléchir et à
me dire ceci : Dieu crée l'homme qui est comme
l'appareil le plus perfectionné existant sur la terre.
Quelque chose comme un cerveau électronique
monumental. Or un jour, cet appareil ultraperfec-
tionné, doté de liberté, voulant être plus libre de se
balader, de se transporter où il veut, débranche la
prise de courant. Ainsi privé d'énergie, le cerveau
électronique n'est plus qu'un tas de ferraille bon
pour la casse. C'est en effet ce que nous montrent
la Bible et toute l'histoire humaine : l'homme a
débranché la prise de courant pour être plus libre,
mais à partir de ce moment-là les hommes ont

commencé à se casser la figure entre eux, à lutter sans merci pour devenir toujours plus riches et plus puissants. Cela dure depuis Caïn et Abel. Y a-t-il eu une seule journée dans l'histoire humaine où il n'ait été commis aucun meurtre ? L'assassinat, le vol et l'exploitation règnent sur terre depuis que l'homme a débranché la prise de courant.

Dans son Amour, Dieu prend une décision incroyable. Voyant la merveille qu'Il a placée au sommet de la création en la faisant libre, Lui, le Volé, s'en vient trouver le voleur pour lui dire : « Tu voulais de ton vol tirer grand profit. Eh bien moi, parce que je tiens à toi, toi qui es toute l'humanité, toi qui t'es volé, je viens te racheter à toi-même. Et ce que tu vas rendre, je vais te le payer d'un prix infini. Je viens Me donner Moi-même. »

« Me donnant à toi, Je suis la rançon se livrant à toi, le brigand, qui, devenu ton propre bourreau, te retiens toi-même en otage. Je viens te dire : "Mais ouvre les yeux, regarde l'accumulation de misères dont tu t'entoures. Raisonne-toi enfin, reviens. Et puisque tu voulais en tirer du profit, Je te donne le plus grand profit possible, Je viens Me donner Moi-même." »

La Rédemption, c'est donc le volé qui ne réclame pas le châtiment du voleur, mais, dans un mouvement d'amour fou, vient se donner au voleur afin qu'il restitue ce qu'il a volé. Le Fils de l'Homme en donnant sa vie rend à l'homme déchu, débranché, sa capacité d'aimer.

À Emmaüs, lorsqu'un malheureux débranché arrive, il est souvent à bout. Pour reprendre une image biblique, il est celui qui, dans la longue marche qui ramène Israël vers la Terre promise, tombe au bord du chemin ou se perd en quittant les autres. Celui qui est désemparé, déboussolé, en acceptant de rejoindre une communauté humaine où l'on s'entraide, se reconnecte de fait, se remet en chemin. Il retrouve sa dignité et le sens de sa liberté en découvrant qu'on a besoin de lui.

Le premier compagnon, un bagnard prénommé Georges, m'a suivi parce que je lui ai dit : « J'ai besoin de toi pour aider les autres, j'ai besoin de ta capacité d'aimer, j'ai besoin que tu te rebranches pour qu'ensemble nous puissions faire quelque chose. » En acceptant de se laisser aimer et d'aimer à son tour, il accepte la rançon. L'homme blessé a tellement mal qu'il n'arrive même plus à s'aimer lui-même. S'il accepte de toucher la rançon et se veut brigand malheureux mais honnête, se restituant lui-même au Père, il reprend rang parmi ses fils d'adoption.

Chapitre 6

Les caricatures de Dieu

Nous avons vu dans les chapitres qui précèdent comment l'effort théologique, c'est-à-dire l'intelligence au service de la foi, tente de préciser quelque chose du mystère de Dieu et de la Révélation chrétienne. Si nous pouvons avoir des certitudes de foi, si notre intelligence peut chercher à approfondir le message évangélique, il nous faut toutefois ne jamais oublier que Dieu reste le Tout Autre, l'Ineffable, l'Indicible. Ramenant trop facilement Dieu à nos catégories humaines, à notre manière de voir et de penser – qui varient évidemment avec les époques et les cultures – il ne faut pas s'étonner qu'on ait vu surgir tout au long de l'histoire toutes sortes de caricatures de Dieu qui ont parfois profondément dénaturé le message religieux originel.

Comme ces représentations erronées ont parfois profondément imprégné nos esprits, dénaturant la foi de ceux qu'elles atteignent ou fermant à la foi véritable les esprits des hommes sincères, il n'est pas inutile de les démasquer. Au long de ma vie j'ai d'ailleurs souvent été amené à prendre la parole pour dénoncer telle ou telle image caricaturale de Dieu. L'une de ces caricatures, la plus répandue et qui constitue un obstacle pour tant d'êtres humains, n'est-ce pas la vision de Dieu Tout-Puissant qui écraserait l'homme ?

Certes Dieu est nécessairement tout-puissant, mais Il n'est pas tout-puissant arbitraire. Il est tout-puissant respectueux, devenu volontairement captif de la liberté qu'Il a créée (j'ai développé cela dans une petite pièce de théâtre, *Le Mystère de la joie*). Parce qu'Il est Amour, Dieu est volontairement captif, donnant la liberté à certains êtres dans le cosmos, pour que, de la création, puisse venir vers Lui de l'amour.

La nature de cette liberté est telle que si j'en use n'importe comment, si je la mets au service de mes caprices, je l'aliène, je deviens de moins en moins libre. Si au contraire j'accepte de me limiter, de renoncer à certaines choses agréables et désirables pour aimer davantage, alors ma liberté grandit. Cela est aussi vrai dans la relation des hommes entre eux que dans la relation de l'homme à Dieu. Si l'homme s'appuie sur sa liberté pour rejeter Dieu qu'il perçoit comme un obstacle à sa liberté absolue, il met sa liberté au service de sa soif de toute-puissance et, paradoxalement, la détruit par les peurs qu'il suscite. C'est l'histoire de tous les dictateurs qui ont été jusqu'au bout de la logique de vouloir se mettre à la place de Dieu. À l'inverse, l'homme qui, librement, dans un acte de confiance, limite un peu sa liberté pour aimer davantage – Dieu et son prochain – cet homme-là est plus libre.

Ainsi l'opposition entre la toute-puissance de Dieu et la liberté humaine – qui est le fait de l'athéisme contemporain – est un non-sens. À vrai dire s'en remettre à Dieu, accepter de se laisser guider par Lui, loin d'annihiler la liberté humaine, permet à l'homme d'être pleinement homme. La liberté de l'homme se trouve en effet davantage protégée quand elle s'unit amoureusement à la toute-puissance volontairement captive de Dieu que lors-qu'elle veut s'approprier cette toute-puissance ou se révolter contre elle. Il suffit pour s'en convaincre de regarder l'histoire de l'humanité. Chaque fois que la paix est brisée, c'est le fait de dominateurs qui veulent exercer la toute-puissance sur les autres ou d'individus qui, au nom de l'absolu de leur liberté, ne respectent plus leur prochain.

La liberté humaine n'est grande que si elle est au service de l'amour. L'exemple du couple est frappant à cet égard. Si, dans un couple, chacun ne veut en faire qu'à sa tête, ne cherche qu'à satisfaire ses caprices et ses envies du moment, l'union ne peut qu'éclater. Si, au contraire, chacun est prêt à limiter volontairement sa liberté pour aimer davantage, alors le couple perdurera et l'amour se développera. Et, paradoxalement, chacun des conjoints sera plus libre et plus heureux.

Il en va de même avec Dieu. C'est en acceptant librement de s'en remettre à la toute-puissance captive de Dieu Amour que l'homme sera pleine-ment libre. On retrouve ici la notion biblique de l'Alliance : Dieu propose une alliance à l'homme libre qui, amoureusement, se solidarise avec ce qu'il connaît de la volonté de Dieu, sans que Dieu le lui impose. L'alliance n'aurait aucun sens en dehors de cette relation amoureuse entre deux libertés qui se donnent. La notion d'alliance est donc aux antipodes de la vision caricaturale d'un Dieu tout-puissant qui aliène la liberté de l'homme.

Autre caricature, celle de Dieu père fouettard : « Sois sage ou tu iras en enfer. » Il s'agit d'une interprétation erronée de la parole biblique : « La

crainte de Dieu est le commencement de la
sagesse. » Oui, mais de quelle crainte s'agit-il ? De
la crainte de l'aimant, de celui qui aime et qui craint
de faire du mal à son aimé. Reprenons l'exemple
des deux époux. Ne vivent-ils pas dans une certaine
crainte ? Non pas la peur de l'autre, mais la peur de
soi-même, en se disant : « J'ai peur de le peiner, j'ai
peur de faire quelque chose qui le blesserait. » Ce
n'est pas une crainte négative, mais c'est une crainte
quand même. L'amour est le commencement de la
sagesse. Cet amour qui est crainte de peiner, d'offenser, de blesser, de briser, de perdre celui qu'on
aime.

Cette compréhension erronée de la crainte de
Dieu a fait beaucoup de dégâts dans les
consciences : combien de chrétiens sont paralysés
par un terrible sentiment de culpabilité ? Or la culpabilité n'a rien à voir avec la contrition chrétienne
véritable. C'est la manifestation psychologique
d'une angoisse qui provient du sentiment d'avoir
commis une faute grave et de la crainte de subir à
tout instant la colère du père tyrannique.

La contrition, au contraire, nous ouvre au pardon
de Dieu toujours offert. « Dieu est Lumière », dit
l'Évangile. La culpabilité c'est l'ombre. C'est une
zone opaque en nous qui n'accueille pas la lumière
de Dieu Amour. Il s'agit de quelque chose de
terrible. Rien n'est plus éloigné du message du
Christ que cette notion de Dieu tyrannique, le fouet
à la main. Je comprends qu'une telle conception
caricaturale de Dieu – qui fut hélas trop souvent au
cœur de l'enseignement de clercs qui cherchaient
abusivement à régir les consciences par la peur – ait
pu éloigner tant de gens sincères de la foi. Fort
heureusement, cette image a aujourd'hui presque
totalement disparu et je crois que les Églises ont

enfin compris qu'on ne conduit pas les gens au Christ par un enseignement fondé sur la peur, mais par ce qu'il est réellement : un message d'amour qui libère de toute autre peur que la crainte de ne pas assez aimer.

Il existe d'autres caricatures de Dieu, nombre d'entre elles entretenues par des gens d'Église : Dieu étroitement moralisateur, Dieu misogyne, etc. Devant toutes ces caricatures, j'ai progressivement pris l'habitude de remplacer le mot « Dieu » – défiguré par tant d'horreurs et d'absurdités – par celui de « l'Éternel qui est Amour ».

Chapitre 7

Les caricatures de la foi

À côté des caricatures de Dieu, il existe aussi des caricatures de la foi et des caricatures de croyants. La pire de toutes est sans nul doute le fanatisme.

Il nous faut combattre avec force et colère toute forme de fanatisme religieux, et le faire d'abord simplement en essayant de suivre le commandement du Christ : « Aimez-vous les uns les autres comme je vous ai aimés. » Chacun de nous, en s'efforçant quotidiennement de soulager les souffrances des autres, peut, mieux que n'importe quel discours, répondre au fanatisme. Mais osons aussi prendre la parole pour rappeler à nos frères chrétiens, juifs, musulmans, et à tous les autres, égarés dans la violence, que la seule religion vraie, quel que soit son nom, est celle du respect de l'amour du prochain. Le blasphème contre l'amour est le plus grave de tous.

Je me suis longtemps interrogé pour comprendre comment s'expliquait le fanatisme religieux – qu'il soit chrétien, juif, hindou, musulman ou autre. Je suis aujourd'hui convaincu qu'il provient essentiellement de la confusion entre le spirituel et le temporel, entre la recherche religieuse personnelle et son détournement en désir de suprématie poli-

tique. La quête personnelle de l'absolu peut
conduire à la sainteté. L'absolu transformé en
convoitise politique collective est la porte ouverte à
tous les fanatismes.

Pour nous limiter aux grandes religions mono-
théistes, celles de la Bible, reconnaissons que toutes
ont tour à tour sombré dans la confusion entre spirituel et temporel.

Louis Massignon, ce chercheur d'absolu, disait,
probablement à juste titre, que l'islam était la religion de la foi, le judaïsme la religion de l'espérance
et le christianisme la religion de l'amour.

Et on en est arrivé au cours des siècles à cette
horrible réalité : au nom de la foi en Allah, des
musulmans ont massacré des « infidèles » ; au nom
de l'espérance en la promesse divine, des Juifs ont
massacré des « païens », au nom de l'amour du
Christ, des chrétiens ont massacré des « héré-
tiques ».

N'est-il pas temps, tous unis en la vérité de nos
fois, une et diverses, de dénoncer, de corriger inlas-
sablement ces fanatismes religieux qui constituent
pour tant d'humains de bonne volonté le principal
obstacle à la rencontre de l'Éternel qui est l'Amour ?

Je me bornerai ici à me souvenir et à dénoncer
les fanatismes et les intégrismes vécus par des chrétiens. Je fais confiance à mes frères juifs et musulmans, aux autres aussi, pour dénoncer de la même
façon les fanatismes qui engagent d'abord leurs
propres traditions. Faisons chacun le ménage devant
notre porte.

A priori, rien ne semblait moins pouvoir donner
prise au fanatisme que le message du Christ. Sans
doute était-il attendu par beaucoup comme un

Messie politique, comme le « libérateur d'Israël »
alors soumis au joug romain. Mais Jésus – juif pieux
et pratiquant – refuse d'endosser ce rôle politique.
« Rendez à César ce qui est à César et à Dieu ce
qui est à Dieu », affirme-t-il sans ambiguïté, fondant
ainsi la nécessaire distinction entre le spirituel et le
temporel. Au procurateur romain Ponce Pilate qui
lui demande s'il est le roi des Juifs, il déclare :
« Mon Royaume n'est pas de ce monde. » Son
message est totalement centré sur la Révélation de
l'amour et de la miséricorde infinie de Dieu qu'il
appelle son « Père ».

Il est d'une totale liberté à l'égard des autorités
religieuses. À la Samaritaine dont nous avons déjà
parlé, cette pauvre femme qui a eu cinq maris et qui
lui demande avec anxiété s'il faut adorer Dieu sur
le mont Garizim comme le pensent les Samaritains,
cette secte dissidente du judaïsme, ou dans le
Temple de Jérusalem comme l'affirment les Juifs, il
fait cette réponse qui ne cesse de m'éblouir :
« Crois-moi, femme, l'heure vient où ce n'est ni sur
cette montagne ni à Jérusalem que vous adorerez le
Père. Vous, vous adorez ce que vous ne connaissez
pas ; nous, nous adorons ce que nous connaissons,
car le salut vient des Juifs. Mais l'heure vient – et
nous y sommes – où les vrais adorateurs adoreront
le Père en esprit et en vérité, car ce sont là les adorateurs tels que les veut le Père. Dieu est esprit, et
ceux qui adorent, c'est en esprit et en vérité qu'ils
doivent adorer » (Jean, 4, 21-24).

Par cette seule réponse – confirmée par bien
d'autres passages de l'Évangile – Jésus libère
l'homme de la tutelle abusive des institutions religieuses pour l'introduire dans une relation personnelle de chacun avec l'Éternel, chacun en sa
communauté particulière. Ce qui compte, dit-il en

substance à cette femme, ce n'est pas de rendre à Dieu un culte dans tel ou tel lieu, de telle ou telle manière, suivant telle ou telle tradition religieuse. C'est de rentrer en contact avec Lui dans une prière, personnelle, sachant s'assembler sans s'aliéner pour autant. À la suite de certains prophètes d'Israël, Jésus montre combien peut être creuse la pratique communautaire non vivifiée par la foi aimante de chaque croyant. Il réhabilite la personne dans la communauté. Il renvoie l'homme à sa conscience personnelle face aux normes admises par la tradition, parfois nécessaire protection, parfois étouffement.

Quelle révolution !

La période désastreuse pour l'Église commence avec la « conversion » de l'empereur Constantin au IVe siècle. Aux martyres vont succéder les privilèges.

Devenue religion officielle de l'Empire romain, le christianisme perdra vite une grande partie de sa force vivifiante, devenant une religion institutionnalisée dotée de codes, de magistères, de triples couronnes, de mitres et d'interdits. Bref, de tout ce qui peut contribuer à étouffer.

C'est davantage de sources d'eau vive que le monde actuel a besoin. Dans sa soif d'approche de Dieu, sans or et sans armes.

On s'éloigne dès lors bien vite de l'Église bouleversante et frêle des apôtres et des martyrs. L'Église offrira certes, bientôt, la louange de Dieu dans les beautés des cathédrales, mais elle se dévoiera aussi, ses guides se faisant princes et plus d'un cédant aux appétits temporels.

Cette confusion du spirituel et du temporel ouvre la voie à toutes les dérives fanatiques.

Là se trouve probablement la clé qui permet de comprendre comment la religion de l'amour s'est ensuite faite plus d'une fois, en près de deux mille ans, doctrine de haine et de violence, c'est-à-dire de l'exact opposé de l'Évangile. La merveille, c'est qu'il se trouva sans interruption, tout au long des siècles, d'authentiques croyants pour dénoncer ces égarements au péril de leur vie.

La tentation pour les ecclésiastiques de contrôler complètement la société (cela s'appellera le « cléricalisme ») a conduit certains pasteurs de l'Église et leur « bras séculier », c'est-à-dire les autorités civiles qui leur étaient alliées ou soumises, à commettre les horreurs que l'on sait. Ici ou là, ce furent les baptêmes et les conversions forcés. Le « très chrétien » empereur Charlemagne ne fit-il pas massacrer avec l'appui ou la complicité tacite de plusieurs papes des milliers de « barbares » qui refusaient d'adhérer à la foi chrétienne ?

Aux XVIe et XVIIe siècles, ce furent les habitants du Nouveau Monde qui eurent à subir les exactions de colons avides et de missionnaires trop zélés, qui, à de rares exceptions près, comme Bartolomeo de Las Casas, laissèrent traiter en sous-humains les Indiens parce qu'ils n'étaient pas chrétiens.

Les Juifs, dispersés ou contraints à se tenir dans des quartiers réservés, payèrent aussi un lourd tribut à la prétention des chrétiens à détenir la vérité et l'imposer à la société.

Au-delà du désir populaire de libérer le tombeau du Christ des mains des Sarrasins, les croisades ne vont-elles pas tourner à la tentative de domination politique et économique, y compris en recourant aux moyens les plus anti-évangéliques ?

Avec les procès d'Inquisition, n'en arrive-t-on pas à cette dialectique subtile, perverse et monstrueuse, qui consiste à *brûler* un hérétique afin de « sauver son âme de la damnation » ? Quel outrage à la charité ! Et ne recourut-on pas à de savantes justifications théologiques pour couvrir ces ambitions temporelles jusque dans leurs exactions les plus infâmes ?

En voulant instaurer une société politique chrétienne, des chrétiens, et parfois de grands esprits, ont renié en ces temps les fondements mêmes de leur foi, allant pour se donner bonne conscience jusqu'à justifier l'injustifiable, suscitant des « théologies » de circonstance, aux antipodes de l'enseignement de Jésus. C'est ainsi que, dénaturant le sens des mots, on diffusa alors ce slogan : « Hors de l'Église, point de salut. »

Ainsi, au long de tant de siècles, la communauté des hommes de l'Évangile, l'Église, à peine sortie des persécutions dont elle avait été victime, enfin libre de témoigner de sa foi, a cherché à rivaliser avec les grands de ce monde qui se disputent pouvoir et richesses.

Jamais pourtant elle n'a cessé de proclamer le message évangélique de foi, d'amour exigeant, de pauvreté volontaire. Jamais elle n'a cessé de faire des saints.

Mais combien lourdes sont encore parfois les compromissions et les ambiguïtés résultant de ce qui lui reste de pouvoir et de richesses. Combien, en Amérique latine par exemple, reste minimisée la portée du témoignage de Jésus par le jeu des combinaisons politiques, la richesse ou le faste du clergé.

Quand le pape Jean XXIII a pris la décision de convoquer le concile Vatican II, il a dit à l'un de mes amis, jeune évêque : « Soyez très attentif, nous allons assister à la clôture de l'ère constantinienne. »

Et le concile a inauguré en effet le début d'une ère nouvelle, celle de la libération de l'Église du poids des équivoques séculaires qui avaient fait du pape un chef d'État – avec ses armées, ses alliances, ses princes et ses ambitions. Débarrassée de ce fardeau du pouvoir temporel qui, au cours du temps, l'avait défigurée, l'Église saura-t-elle à nouveau consacrer toutes ses forces à sa vraie mission : annoncer la bonne nouvelle de l'Évangile, autrement dit rendre croyable que l'Éternel est Amour ?

Il lui reste certes encore à supprimer beaucoup de choses anachroniques, coûteuses et inutiles, dans l'apparat et le cérémonial.

Le pape Jean XXIII a pris la décision d'envoyer au musée la *sedia*, ce fauteuil porté à dos d'homme sur lequel il traversait la basilique Saint-Pierre.

Paul VI, de la même façon, a renoncé à la *tiare*, ces trois couronnes superposées évoquant les rois, l'empereur, et, au-dessus de l'empereur, le pape...

Quelques-uns dont je suis ont rêvé, et rêvent encore, de voir notre pape délivrer les évêques d'une mitre qui put dans le passé avoir un sens, mais qui, aujourd'hui, paraît si ridicule.

Dans certains pays pauvres, la richesse étalée et le train de vie de certains prélats font scandale. Quand comprendra-t-on que la beauté d'un sanctuaire ne tient pas au marbre dont il est pavé ou aux ornements dont il est pourvu mais au fait qu'il n'y a pas une seule famille sans logis alentour ?

Soyons sur nos gardes, car menace toujours de renaître la fièvre « cléricale ». Puisse la pauvreté de l'Église y répondre. Mais pour l'essentiel, soyons-en sûrs, Vatican II a permis à l'Église de tourner définitivement la page de l'ère constantinienne.

C'est précisément la raison pour laquelle Mgr Lefèvre, et d'autres, n'ont pas accepté le concile. Son désarroi ne s'explique pas par le regret du latin. Élevé dans un milieu maurassien, il a, depuis l'enfance, toujours entendu que le trône et l'autel devaient se soutenir l'un l'autre. Je l'ai connu à Dakar, et je sais que pour lui la décolonisation c'était l'apostasie. Comme si les fonctionnaires du personnel colonial étaient des évangélisateurs ! Mais il avait le sentiment que « la fille aînée de l'Église » abandonnait ces peuples « sauvages ».

Bien plus que la soutane, l'encens et le latin, les véritables intégristes regrettent l'ère constantinienne. Ils ont la nostalgie d'une société soumise à la loi ecclésiastique. C'est pourquoi ils demeurent fanatiques et sont capables de tuer pour défendre ce qu'ils estiment être la Vérité (l'attentat criminel contre le cinéma Saint-Michel qui diffusait le film de Scorsese, *La Dernière Tentation du Christ*, en est un exemple récent). Nous devons montrer qu'il existe d'autres moyens que le recours à la violence pour dire : « Ceci n'est pas évangélique. »

Des études sociologiques ont montré qu'en Italie les zones dominantes de l'athéisme, celles où le vote communiste a été écrasant, coïncident avec les anciens États pontificaux. Il s'agit d'un « anticléricalisme » dit de réaction contre un « cléricalisme » qui a longtemps tiré avantage de sa mission spirituelle.

La veille de mon ordination sacerdotale, comme je me confessais au père de Lubac, celui-ci me remit son dernier ouvrage : *Catholicisme*. En ouvrant le livre, je lus avec stupeur et joie la dédicace suivante : « Demain, quand vous serez étendu sur les dalles de la chapelle pour l'ordination, ne faites qu'une demande à l'Esprit saint. Demandez-lui qu'il vous accorde l'anticléricalisme des saints... » Toute ma vie, je me suis efforcé de suivre son conseil.

Lorsqu'il m'est arrivé de le lui rappeler, il ne manquait pas de dire, souriant mais parfois sévère : « Oui, anticléricalisme, mais anticléricalisme des "saints" et non pas de ceux qui, pour être bien sûrs de ne pas être cléricaux, seraient prêts à se dérober à toute discipline, même la plus humblement évangélique. »

Chapitre 8

Grandeur et misère de l'Église

Quand on jette un regard sur la longue histoire de l'Église, sur ces vingt siècles qui se sont écoulés depuis la mort de Jésus, comment ne pas apercevoir deux lignes de force en totale contradiction ?

D'un côté certains papes scandaleux, des conversions forcées, les bûchers de l'Inquisition, les excès des croisades, toutes les compromissions avec les pouvoirs temporels, etc., de l'autre comme un message fulgurant, l'Évangile, qui, grâce à l'Église, a traversé les siècles, des saints extraordinaires, un humble dévouement déployé à travers d'innombrables instituts caritatifs, des milliers d'hommes et de femmes qui, d'une façon différente mais héroïque aussi, ont consacré leur vie à Dieu dans le silence de l'adoration...

Bref, l'Église a produit le meilleur et le pire. Aujourd'hui on a surtout tendance à ne retenir que le pire. Avant d'y revenir, je voudrais rappeler ce que l'Église a de meilleur.

On oppose facilement l'Église à l'Évangile. Pour reprendre le mot célèbre de Loisy : « L'Église a la lourde charge d'annoncer un message qui le plus souvent la condamne. » En fait, les quatre Évangiles et tous les écrits du Nouveau Testament sont déjà une œuvre de l'Église. Ils n'ont pas été écrits par le Christ, ni par le Saint-Esprit sur des tables de pierre. Ces textes, on le sait bien aujourd'hui, ont été rédigés par les premières communautés chrétiennes. Ils sont directement le fruit de la vie concrète de l'Église primitive, celle des apôtres et de leurs successeurs immédiats. L'Évangile, c'est une pensée, un message, une foi qui a été vécue avant d'être écrite. C'est la foi des premiers chrétiens.

Par la suite, les chrétiens n'ont cessé d'approfondir ce message et de l'enrichir. La grande tradition de l'Église, celle des saints, des pères, des docteurs, des mystiques, c'est l'Évangile qui s'explicite et se déploie sans fin pour répondre aux besoins des sociétés humaines. En ce sens, l'Église est une mère qui nous transmet depuis deux mille ans le message bouleversant du Christ. Sans l'Église, jamais je n'aurais pu rencontrer ce message, m'en nourrir et le faire mien.

C'est pourquoi je n'aime pas voir se moquer de l'Église, souligner ses moindres défauts, rire de tous ses travers. Il existe une revue satirique publiée par des chrétiens. À l'origine, ses fondateurs la voulaient comme une sorte de *Canard enchaîné* de l'Église. Un jour, ceux qui y travaillaient m'ont demandé un bref article. Je leur ai donné, je ne connaissais pas encore la revue. Ils l'ont publié et m'ont envoyé l'exemplaire, ce qui m'a permis de me faire une opinion sur la revue elle-même. Je leur ai aussitôt dit : « Je ne m'abonnerai jamais, parce que vous consacrez tout votre journal à vous moquer des défauts de l'Église. »

On peut rire de telle ou telle chose, mais tourner en permanence l'Église en ridicule cela me choque. C'est comme si j'avais une mère devenue alcoolique et que je passais mon temps, au lieu de l'aider à se redresser, à la traîner sur les places publiques. Cette revue se serait, me dit-on, bien corrigée.

Malgré ses innombrables défauts, l'Église est ma mère au sens où c'est par elle que les trois vérités qui me font m'ont été communiquées : l'Éternel est Amour quand même ; je suis aimé et tu es aimé quand même ; et enfin toi, moi, nous sommes libres afin d'être capables de rendre amour pour amour.

Cela étant dit, il est bien évident que le gouvernement de l'Église, indispensable puisqu'il s'agit aussi d'agir au niveau planétaire, et la manière dont certains de ses représentants agissent, sont parfois bien éloignés de l'esprit de l'Évangile.

À cet égard, je ne puis oublier ce que j'ai vu de mes propres yeux dans une capitale de l'Amérique du Sud où l'on construisait une nouvelle nonciature. Cette édification était tellement coûteuse que de pauvres gens venaient la nuit écrire au goudron sur les murs : « Bienheureux les pauvres. » Et le prélat chargé de la construction faisait appel à la police pour empêcher que l'Évangile... soit écrit sur la maison du pape !

J'ai rencontré personnellement tous les papes depuis Pie XI, à l'exception de l'éphémère Jean-Paul Ier.

La rencontre avec Pie XI eut un caractère d'espièglerie. J'avais 14 ans. Avec un ami scout, je m'étais promis d'arrêter le pape au passage pour lui faire bénir le fanion de notre patrouille, « les Hirondelles ». Nous y sommes parvenus. Il parlait très bien le français, et, prenant le fanion, il nous dit : « Lyon ! priez pour le pape à Notre-Dame de Fourvière. J'ai un frère travaillant à Lyon, j'y ai été souvent, je bénis votre fanion. » Bien sûr, notre

indiscipline nous valut ensuite bien des reproches ;
mais nous étions rayonnants de joie.

Le premier contact que j'eus avec le pape
Pie XII fut indirect, mais il m'imposa d'assumer
une grave responsabilité. J'étais arrivé à Alger le
16 juin 1944 après avoir été arrêté à Cambo-les-
Bains le 18 mai en rentrant d'un passage clandestin
en Espagne, puis m'être évadé.

Dès l'arrivée à Alger, on me demanda de parler
à ce que l'on appelait déjà la radio des Nations
unies. (C'est alors que, parmi les diverses fausses
identités avec lesquelles je vivais depuis près de
deux ans, fut retenu le nom d'Abbé Pierre sous
lequel désormais – afin qu'une indiscrétion ne
risque pas de compromettre ma nombreuse famille
en France – tous mes nouveaux documents d'identité furent établis.)

Le 3 août, un prêtre de l'archevêché d'Alger vint
me voir. Il était porteur d'un document jusqu'ici
totalement inconnu du public.

Nous savions, en France, l'ardeur avec laquelle
le cardinal Tisserant, à Rome, dès l'occupation de
la zone sud et les débuts du maquis, avait insisté
auprès du pape pour que, par quelque moyen,
même secret, un signe d'encouragement soit donné
aux résistants et aux prêtres qui partageaient les
risques de la lutte armée.

Ses efforts étaient restés vains jusqu'alors. Et la
« réponse » de Rome était précisément contenue
dans le document en question que l'on me confia
ce 3 août afin que je le rende public.

En en prenant connaissance en de tels moments,
au plus dur des combats, la révolte m'envahit.

Il s'agissait d'un message au cardinal Tisserant,
en date du 13 juin, sous la signature de
Mgr Tardini, qui, à l'époque, se partageait avec

Mgr Montini les postes de substituts à la Secrétai-rerie d'État, charge que Pie XII, diplomate de carrière, avait tenu à conserver à sa discrétion.

Mgr Tardini n'était certes en rien responsable du style pompeux que lui imposaient les usages en cours, mais cela rendait encore plus pénible le texte.

Alors que durant deux ans le cardinal Tisserant avait tout tenté, et que le 2 juin il faisait encore une ultime tentative (le 2 juin, c'est-à-dire à la toute dernière veille du débarquement de Nor-mandie), il n'avait reçu que le 13 juin – soit une fois le débarquement assurément réussi – ce texte au nom de Pie XII : « J'ai l'honneur de faire part à votre Éminence révérendissime, par ordre de mon Em. supérieur, que sa lettre du 2 courant au sujet de l'assistance spirituelle des hommes du "maquis" a été soumise par moi à l'auguste considération du Saint-Père. Sa Sainteté ayant, avec une hâte frater-nelle, considéré ce que votre Éminence exprimait, a daigné disposer verbalement que l'épiscopat de France pourvoirait à l'assistance spirituelle et, pour ce, ferait usage de l'index Facultatum émané de la S. Congrégation Consistoriale, en date du 8 décembre 1939. Le nonce apostolique en France a été informé de cette décision souveraine [signé Domenico Tardini]. »

Le soir même de ce 3 août, je donnai la lecture du document à la radio, ne voulant retenir, malgré mon écœurement (« avec une hâte fraternelle » !), que ce qui pouvait encourager le soutien de tant d'hésitants qui n'avaient su se décider à agir jusqu'ici dans l'attente des conseils des plus hautes autorités morales. J'accompagnai la lecture du communiqué de ces mots qui me furent ensuite reprochés : « Voici donc que, sitôt Rome libérée, justice est rendue à ces "curés du maquis" qui, sans une hésitation, dès les premières minutes des déportations, prirent parti et s'en allèrent porter aide spirituelle à la foule des jeunes de France, cabrés sous l'outrage et la honte, dans le sûr instinct de leur conscience, résolus à rompre avec l'escroquerie d'une légalité hypocrite, et à devenir "les réfractaires"... Il est bon pour des fils, ou des amis, d'entendre enfin la voix du père dire : "C'est bien." »

Deux jours plus tard, de Gaulle me recevait à déjeuner. Émaillant la conversation des amicales railleries dont il savait si bien user, il me félicita pour la neutralité du ton sur lequel j'avais commenté le document !

La guerre finie, devenu député, quoique bien peu compétent, il y eut six années pendant lesquelles je demandai, deux fois par an, un entretien avec le pape. Nous n'avons jamais, alors, reparlé du temps de la guerre.

C'est l'époque où je dirigeais l'exécutif du Mouvement fédéraliste mondial (MUCM). Le dernier congrès que je présidai se tint à Rome. Le conseil du Mouvement avait, dès son ouverture, demandé à être reçu par le Saint-Père.

Nous étions des délégués de tous pays et de toutes confessions religieuses. Au moment où le pape allait tirer de sa manche un texte soigneusement rédigé et qui fut publié par l'*Osservatore romano* le soir même, il reconnut parmi nous un pasteur protestant, monsieur Trocmé, l'un des plus admirables sauveteurs d'enfants juifs, et me dit : « Voudriez-vous demander au pasteur si ce n'est pas indiscret pour lui de faire qu'il soit sur une photo auprès du pape ? » Il fut en deux pas devant Pie XII et lui dit : « Comment pouvez-vous supposer que je sois gêné d'être vu sur une photo au côté de mon frère dans le Christ ? »

J'ai davantage connu Jean XXIII, qui était nonce à Paris quand j'étais parlementaire. J'allais le voir presque tous les mois. Il a été parfois mon confesseur. Nous étions très proches l'un de l'autre. C'est après des conversations avec lui, bien avant le concile, que je barrai dans mon missel, au Vendredi saint, les phrases que j'avais toujours jugées insupportables parlant des « Juifs maudits » pour leur « déicide ». Dieu merci, cet anti-judaïsme, empoisonnant longtemps beaucoup de chrétiens, a été très officiellement balayé par le concile.

J'avais rencontré Mgr Montini, le futur Paul VI, qui était présent à chacune de mes rencontres avec Pie XII. Après avoir démissionné de la Secrétairerie d'État, l'âge de Pie XII paralysant tout, il devint cardinal archevêque de Milan et m'appela pour venir prêcher dans sa cathédrale.

J'ai eu plusieurs rencontres avec Jean-Paul II. Je n'oublierai pas celle au cours de laquelle il me demanda mon âge, avant de me dire : « Le pape est plus jeune que vous. » Je lui répondis : « Oui, le pape est plus jeune. Mais peut-être bien que, comme évêque de Rome, il fera ce qui est demandé à tous les évêques : proposer de prendre sa retraite à 75 ans, si cela est approuvé par ceux qui l'ont désigné, et achever sa vie loin des responsabilités. » Souriant, il m'a dit : « Eh, ça demande réflexion. »

Nous savons tous que, bien que malade et ayant dépassé les 75 ans, il n'a pas renoncé à sa charge. Un bruit court, qui serait chose merveilleuse s'il se confirme : il aurait mis au travail son entourage pour récapituler les fautes humaines accomplies par l'Église au cours des siècles (quel travail !) afin d'être en mesure d'adresser lui-même, tête de l'Église, porte-parole du Christ, une demande de pardon à Jésus et à l'humanité. Par de tels gestes – je pense aussi à la rencontre interreligieuse d'Assise en 1986 et à bien d'autres actes exemplaires – le pape manifeste bien qu'il est l'homme de l'Évangile.

Je le trouve hélas bien moins inspiré lorsqu'il s'agit des questions de discipline et de morale sexuelle. Lorsque Jean-Paul II, par exemple, arrivant dans un pays africain terriblement atteint par le sida, déclare : « Vous n'avez qu'un remède, c'est la continence », c'est vraiment parler pour ne rien dire, au milieu de frères humains dont la plupart sont polygames et où l'on n'est respecté qu'en raison du nombre de fils. Chacun se serait senti mieux compris s'il s'était entendu dire : « Que vous soyez polygame ou pas, la plus sûre des préservations, c'est la fidélité. Si toi, l'homme, et ton épouse, ou chacune si tu en as plusieurs, vous vous êtes fait assurer par le médecin que vous n'êtes pas contaminés, soyez fidèles et vous serez à l'abri. »

Comment ici ne pas dire un mot de la notion parfois si mal comprise de l'infaillibilité pontificale ?

Le fait est là : si certains pontifes ont parfois été bien peu édifiants, jamais la doctrine n'a failli. Il n'y a pas eu au cours des siècles l'ombre d'un changement du Credo. Peut-être, d'ailleurs, serait-il temps de le commenter en un style intelligible à tout homme. Mais fondamentalement, malgré les défaillances personnelles de tel ou tel, la doctrine est restée fidèle au message originel. C'est ici que se situe l'infaillibilité du pape en ce qui concerne la foi.

Il est clair qu'il en va tout autrement pour ce qui est du « gouvernement » de l'Église. Ce n'est pas le Saint-Esprit qui gouverne. Il assiste ceux qui ont l'autorité, mais ce n'est pas lui qui éclaire les prélats condamnant Galilée !

Quand j'ai lu que le cardinal Ratzinger avait déclaré humblement : « Jusqu'ici l'Église n'a rien dit d'utile à propos de l'explosion démographique », je n'ai pu m'empêcher de penser : quelle chance ! Car il est vraisemblable que, si l'on avait cherché à dire à la hâte des choses « utiles » face à cet événement considérable, on aurait pris le risque de bien des erreurs réclamant bientôt d'être corrigées...

Je ne saurais oublier une réflexion étonnante que me fit le cardinal Tisserant. Sa famille était de Nancy, où j'étais député, et chaque fois que j'allais à Rome il souhaitait que nous nous rencontrions.

Il m'invita un jour à aller voir les logements pour familles très nombreuses qu'il faisait construire dans son diocèse de la banlieue romaine. Dans la voiture, il me dit : « Avez-vous entendu parler des expériences que font les Américains avec un produit végétal trouvé à Porto Rico et dont les autochtones disent qu'il rend possible les relations sexuelles entre époux sans qu'il y ait conception ? » Il précisa : « Depuis, on a analysé chimiquement cette plante et on sait fabriquer un produit contraceptif à partir de ses composants. Mais celui-ci, notez-le bien, est tiré d'une plante, donc de quelque chose de naturel donné par Dieu dans la création. » Et il ajouta, me tapant sur le genou : « Qu'est-ce que nos moralistes vont encore nous inventer pour nous dire que c'est mal de nous servir de ce que Dieu a mis dans la nature et qu'il nous conduit à découvrir au moment où le monde se trouve face à un si grand défi ? »

Ce fut en ces termes, et dans la bouche d'un cardinal, que j'entendis parler pour la première fois de ce qui allait devenir la pilule tant controversée.

Voici quelques années, un autre cardinal fut interrogé par un de mes frères sur un cas très difficile de chrétiens fervents mais pauvres et pris dans de graves difficultés morales et psychologiques. Il s'entendit répondre : « Interrogez-vous le cardinal ou le directeur de conscience ? Si c'est le cardinal, allez relire les discours du pape. Si c'est le directeur de conscience, dites-leur de venir me voir. Alors seulement je pourrai, considérant leur cas pitoyable, risquer un conseil vivable par ces gens consciencieux. » Je fus d'abord choqué par ce qui m'apparaissait comme une duplicité. Mais, bien vite, je compris la sagesse de la réponse du cardinal.

L'humanité est à l'image d'un navire qui avance dans la nuit. L'Évangile et l'Église sont comme un phare au bord de la mer. Son emplacement a dû être choisi avec l'exactitude la plus parfaite : c'est la rectitude du message et de la doctrine. Mais maudit soit le phare, même merveilleusement bien placé, qui reste éteint. Le navire pourra alors s'échouer sur l'un ou l'autre des récifs.

Or si le juste emplacement du phare ne relève pas de notre responsabilité, n'oublions jamais que c'est de nous tous, présumés chrétiens, qu'il dépend qu'il soit lumineux dans la ferveur de l'amour. C'est de cette lumière, éclairant la vérité, que l'humanité entière a tant besoin.

« À ceci tous vous reconnaîtront pour mes disciples : à cet amour que vous aurez les uns pour les autres » (Jean, 13).

TROISIÈME PARTIE

Vers la Rencontre

Nous avons vu dans la première partie de ce livre comment, vivant parmi les blessés de la vie, j'ai été conduit à choisir le mystère contre l'absurde, l'espérance contre le désespoir. Dans la deuxième partie, j'ai voulu partager les quelques certitudes de ma foi en Dieu Amour et inconnaissable.

Pour le croyant, et pour le privilégié qui a eu connaissance de Jésus et de son Évangile, la vie humaine c'est ce voyage, cette longue et difficile marche vers la Rencontre tant attendue avec l'Éternel qui est Amour. Mais le pèlerinage terrestre n'a rien d'une attente passive.

C'est cela qu'il nous faut encore méditer. Ce chemin de foi, qui s'éprouve dans le combat spirituel, conduit à la libération intérieure. Il est engagement pour la justice et lutte contre toutes les oppressions. Il ne peut se passer de se ressourcer dans l'adoration et la prière. Il est croissance et transformation dans la souffrance. Il nous prépare sans cesse au mystère de la mort qui sera le grand moment de notre vie. Et celle-ci, pour moi, ne peut être appréhendée et vécue qu'à la lumière du pardon divin toujours offert.

C'est de ce chemin de foi et d'amour, toujours porté par l'espérance, que je voudrais parler dans cette troisième et dernière partie.

Chapitre 1

Toi qui libères

Au cours de l'été 1996, j'ai eu la joie de passer plusieurs jours au Brésil auprès de mon frère Dom Helder Camara, à l'occasion de ses soixante ans de sacerdoce. Haï par une partie du riche clergé brésilien qui le dénonce comme l'« évêque rouge », Helder Camara est l'espoir des pauvres, de tous ceux qui n'ont pas renoncé à croire en l'Évangile malgré les fastes de l'Église et sa complicité avec les riches propriétaires qui les oppressent.

Tout juste nommé évêque de Recife, Helder Camara décide de quitter les lambris de son palais épiscopal pour vivre dans une modeste maison au cœur des bidonvilles de sa ville. Ce geste si évangélique suscita des réactions très violentes à son égard. Pendant des décennies, Dom Helder a été sans cesse menacé de mort.

Un jour, en ouvrant le volet de sa petite chambre, il découvre l'un de ses jeunes prêtres pendu, torturé, les yeux arrachés, une pancarte autour du cou : « En attendant ton tour. » Ce qu'on reproche surtout à Dom Helder, c'est la dimension politique de son combat. Car il est bien évident que s'il a consacré sa vie à prêcher l'Évangile et à aider les pauvres à vivre dans des conditions plus décentes, son action a eu des répercussions politiques. Mais n'oublions pas que la foi chrétienne implique un engagement dans la cité et que c'est en prônant un juste partage entre les hommes que l'on combat l'injustice.

Lors de la cérémonie de l'été 1996, l'évêque de Recife, son successeur, était absent. J'ai compris pourquoi en voyant la foule innombrable de pauvres venus acclamer l'ancien évêque. Quelle pouvait être la place en ce lieu de celui qui, maintenant, détruisait toutes les initiatives prises par Dom Helder jusqu'à sa retraite à 75 ans ? Il se trouvait là malgré tout cinq évêques, vrais disciples de Camara, venus comme lui sans mitre, sans croix d'or, portant un cordon et une simple croix en bois.

Durant la cérémonie finale, j'étais assis à côté d'un missionnaire hollandais. Il me dit : « Quand le nouvel évêque a été nommé, il a convoqué un à un tous les prêtres de son diocèse, ce qui était normal, et leur a demandé de lui raconter leur apostolat. Quand est venu mon tour, je lui ai expliqué : "Voici vingt-cinq ans que je suis au Brésil. Dom Helder m'a chargé de l'évangélisation du monde rural. J'ai côtoyé une grande misère. Les gens crèvent souvent parce qu'il n'y a pas d'eau et s'en vont travailler au loin pour aider leur famille. Au sein de cette population très pauvre j'annonce l'Évangile, je donne les sacrements, je fais le catéchisme et en même temps, bien sûr, j'alphabétise." Alors le nouvel évêque a tapé du poing sur la table en disant : "Mais mon père ce n'est pas de l'évangélisation, c'est de la politique ! L'alphabétisation, c'est de la politique !" »

Cet évêque avait parfaitement raison : alphabétiser, c'est permettre aux gens d'être plus cultivés, plus conscients de leurs droits, plus éveillés et donc moins manipulables par le pouvoir en place. À quoi sert d'évangéliser des peuples si on ne les aide pas à approfondir leur propre culture et l'élargir ? À quoi bon leur annoncer une parole s'ils ne peuvent aussi la lire par eux-mêmes, la faire leur ? Ce que craignait justement cet évêque, c'est que ces pauvres découvrent ces nombreuses pages de l'Évangile qui dénoncent l'injustice, appellent l'homme au partage et à la solidarité. Or l'Évangile, s'il n'est pas directement un message politique, a nécessairement des conséquences, de profondes répercussions dans le domaine politique. C'est la raison pour laquelle on voit constamment au cours de l'histoire, et malheureusement encore de nos jours, les riches dirigeants s'allier le clergé en le corrompant afin que certaines pages de l'Évangile ne soient jamais annoncées.

Dans un tout autre contexte que celui du Brésil, bien des années auparavant, j'avais été invité au Canada par le cardinal Léger. Il m'avait demandé de parler à l'issue d'un banquet, organisé par le patronat chrétien et les travailleurs sociaux de son diocèse, sur le thème des exclus. J'avais été scandalisé de constater le luxe dans lequel vivait une partie du clergé canadien, de voir les prélats arriver en limousine. Je me suis levé et j'ai dit à tous ceux qui étaient venus se donner bonne conscience : « Ne croyez-vous pas qu'une partie des malheurs de l'humanité et de l'Église proviennent de l'ingéniosité avec laquelle les fidèles aisés s'appliquent à assurer à leur clergé des conditions de vie suffisamment semblables aux leurs pour qu'ils soient sûrs que des pages entières de l'Évangile ne leur soient plus jamais prêchées ? » Il y eut un silence de plomb. Puis quelques applaudissements fusèrent d'un groupe de jeunes jocistes et s'étendirent à toute l'assistance.

Un an plus tard, le cardinal m'a dit : « Les contre-coups de votre intervention dans mon diocèse ont constitué l'épreuve la plus cruelle de ma vie sacerdotale. Mais il faut que vous continuiez à dire ainsi l'Évangile. »

Trente ans plus tard, j'ai été à nouveau invité par le successeur du cardinal Léger à participer à une réunion de « décideurs » chrétiens, une trentaine de grands chefs d'entreprise. Après la messe, ils m'ont conduit dans une salle à manger incroyablement luxueuse et m'ont demandé de bénir le repas. « Vous rendez-vous compte de l'abominable, me suis-je exclamé. Nous venons de communier après avoir célébré l'eucharistie. Or le Jeudi saint, après l'institution eucharistique, Jésus est entré en agonie au jardin de Gethsémani. Et vous, vous nous invitez à ce fastueux banquet, avec des laquais en livrée, des chandeliers dorés et de quoi manger pour trois jours ? Votre réunion à laquelle vous n'avez d'ailleurs invité aucun syndicaliste (lui aussi "décideur") n'aura de sens que si, après la messe, vous allez manger ensemble un bol de soupe et deux sardines. » Cette fois, il n'y a pas eu d'applaudissements.

Le message chrétien a nécessairement des implications politiques et sociales. Mais le risque serait, à l'inverse, de mettre exclusivement l'accent sur cette dimension en oubliant que la finalité du christianisme est avant tout spirituelle. Cet oubli a pu conduire à ce qu'on a appelé en Amérique latine la « théologie de la libération ». De manière caricaturale, cette théologie en était parfois venue à faire de l'Évangile un auxiliaire du marxisme : le seul but recherché était la libération politique, et tous les moyens (même violents) pour y parvenir étaient réputés bons.

Personnellement, et à l'instar de Dom Helder Camara, je n'ai jamais souscrit à une telle interprétation et utilisation du message du Christ. Pour un chrétien, la libération politique et économique ne peut en aucun cas être un objectif en soi, supportant n'importe quels moyens. La véritable théologie de la libération c'est la libération de l'injustice dans l'amour. Ces deux notions sont indissociables. On ne doit pas haïr l'oppresseur, désirer la vengeance. Tel est le message de Camara, de Martin Luther King, mais aussi de non-chrétiens comme Gandhi ou le dalaï-lama. La violence n'engendre que la violence. À peine libérés de la tyrannie, les nouveaux dirigeants recréent de l'injustice. L'échec du marxisme en est, très proche de nous, une terrible illustration.

Évidemment, c'est difficile et exigeant pour ceux qui sont opprimés. Je me rappelle qu'il y a encore une vingtaine d'années on organisait au Brésil des « chasses à l'Indien ». Exactement comme des chasses à courre, sauf que le gibier était un homme. Comment ne pas comprendre la colère de ceux qui ont ainsi été méprisés et massacrés ? Dans de telles situations, le prêtre ne doit pas être un pion au service des dictateurs. Mais il ne doit pas non plus se transformer en vengeur sanguinaire. Il doit aider les opprimés à prendre conscience de leur dignité d'homme et à mener la lutte pour que justice soit rendue en refusant la violence tant que cela se peut. Il doit aussi, et c'est capital, éclairer les oppresseurs sur l'injustice qu'ils commettent et tout faire pour éveiller leurs consciences.

Lorsque je suis venu au Brésil pour la présentation du film *Hiver 54*, j'ai eu l'occasion de m'exprimer à la télévision devant des millions de téléspectateurs. C'était à la veille des grandes vacances. Je me suis adressé tout particulièrement aux jeunes des familles aisées, et je leur ai dit : « Vous allez passer vos vacances en Europe, dans de grands hôtels, sur des plages privées, etc. Vous êtes-vous jamais posé la question : D'où vient notre fortune ? Comment s'est-elle créée ? Quelle est son origine ? Eh bien, elle est le plus souvent le fruit de terribles massacres. Ceux qui avaient tué le plus d'Indiens se voyaient dotés par la Couronne d'une province entière. Et aujourd'hui encore, au prix de quelles injustices vos parents maintiennent-ils votre standing de vie ? »

À côté de certaines théologies de libération de type marxiste, justement condamnées par le Vatican, il existe Dieu merci d'autres théologies de la libération qui s'inscrivent dans le contexte véritablement chrétien où justice et amour ne sont jamais dissociés.

Mais je crois qu'il faut aller plus loin. La véritable libération que le Christ est venu apporter est plus profonde encore. Elle concerne directement l'individu et pas seulement les communautés humaines. C'est la libération à l'égard de ce qu'on appelle le « péché ». Le mot aujourd'hui est lourdement connoté par tout un discours moralisateur et culpabilisant, ce qui le rend presque inutilisable. Pourtant le péché est une réalité profonde qu'il convient de bien comprendre. La Bible, à travers le récit mythique de la Genèse (qui ne doit pas évidemment être pris au sens littéral sous peine de paraître ridicule), montre en quoi consiste véritablement le péché. Le récit de la Genèse, récit d'une très grande profondeur philosophique et psychologique, nous

montre que le péché originel consiste – en déso-
béissant à l'unique ordre divin : « tu ne mangeras
pas du fruit de l'arbre de la connaissance du bien et
du mal » – à vouloir supprimer la différence qui
existe entre Dieu et l'homme.

Le péché c'est vouloir ne plus dépendre de Dieu,
affirmer que notre destinée se réalise par nos seuls
efforts, sans l'aide divine. C'est prétendre discerner
seul ce qui est bien de ce qui est mal, et que l'on
peut accéder au salut par soi-même. On ne veut rien
devoir à Dieu.

Le véritable péché n'est pas le fruit de la concu-
piscence charnelle comme on l'a stupidement répété,
c'est le péché d'orgueil. « Je ne dépendrai pas de
Dieu, je me satisferai par moi-même, je n'ai besoin
d'aucune aide ni d'aucun sauveur, je veux user de
ma liberté pour faire ce que bon me semble sans
avoir de compte à rendre à quiconque. »

Dès cet instant-là Caïn tue Abel, le plus fort
écrase le plus faible, bref, toute l'histoire de l'humanité commence à défiler sous nos yeux avec sa
cohorte de crimes, de violence, d'injustices. Pourquoi ? Parce que, en nous coupant librement de
Dieu, nous perdons le sens de notre liberté. Nous
oublions que la liberté n'a de sens qu'au service de
l'amour.

Le salut et la libération apportés par le Christ
servent à sauver notre liberté en l'éclairant sur sa
nature et son but véritable. Ils permettent aussi de
nous délivrer de la peur de la liberté de l'autre. Car
nous vivons constamment dans la crainte d'être
agressés, opprimés, tués. Le salut du Christ sauve la
liberté en détruisant la peur et en la remplaçant par
l'amour. C'est pourquoi la véritable libération est
intérieure.

Dom Helder Camara l'avait parfaitement compris quand il écrivait : « En parlant de libération vis-à-vis des forces extérieures qui nous contraignent, ayons toujours présent à l'esprit que le commencement des commencements c'est la libération intérieure. Comment celui qui est esclave de lui-même peut-il libérer les autres ? Le seul capable de porter la victoire pour tous est celui qui se vainc ; seul libère celui qui se rend libre ; seul est libre celui qui, volontairement, se domine assez pour obéir aux justes règles, intimes et communautaires... »

L'échec permanent au long des siècles ne s'explique-t-il pas avant tout par la rupture qui se produit au cœur de chacun de nous ? Nous sommes sincèrement scandalisés devant l'injustice et l'oppression politique, économique et sociale, mais nous dédaignons de mener au-dedans de nous la lutte quotidienne, ardue, pour la libération intérieure. À l'inverse, nous sommes parfois appliqués à cette conversion, mais nous nous replions inconsciemment sur notre « vertu » et restons aveugles, sans éprouver de colère d'amour, face à l'injustice qui écrase nos frères.

La liberté meurt donc moins des coups que lui portent ses ennemis extérieurs que du reniement de sa véritable finalité : aimer. Sur une planète où surabondent les richesses mais où le plus grand nombre ne peut avoir part au minimum vital, les véritables champions de la liberté sont ceux qui la réhabilitent en l'arrachant à l'apostasie de l'amour. Et rien n'est plus urgent aujourd'hui pour l'homme occidental que de retrouver le sens de sa liberté.

Une petite histoire illustre mieux cet égarement, ce déboussolement, que tous les discours. C'est celle d'un homme d'affaires qui est en vacances en Inde.

Sur la grève, il voit un pêcheur qui revient avec un poisson. Il admire sa prise, et lui dit :

« C'est le bonheur ! Tu retournes en chercher ? Bon, je vais avec toi. Il faut que tu m'expliques comment tu pêches.

— Retourner en chercher, mais pour quoi faire ? demande le pêcheur.

— Mais parce que tu en auras davantage, répond l'homme d'affaires !

— Mais pour quoi faire ?

— Parce que, quand tu en auras plus, tu en revendras.

— Mais pour quoi faire ?

— Parce que, quand tu l'auras vendu, tu auras de l'argent.

— Mais pour quoi faire ?

— Parce que tu pourras t'acheter un petit bateau.

— Mais pour quoi faire ?

— Eh bien, avec ton petit bateau tu pourras avoir plus de poissons.

— Mais pour quoi faire ?

— Eh bien, tu pourras embaucher des ouvriers.

— Mais pour quoi faire ?

— Ils travailleront pour toi.

— Mais pour quoi faire ?

— Tu deviendras riche.

— Mais pour quoi faire ?

— Tu pourras te reposer. »

Le pêcheur lui dit alors : « Mais c'est ce que je vais faire tout de suite ! »

L'Occident est devenu fou dans l'exacte mesure où, resté attaché à une conception idolâtre de la liberté, il n'a plus su quoi faire de sa liberté. Être libre pour être libre, et non point pour aimer, telle est la définition même de la rupture, de l'impasse et du vide. Le Christ est venu pour sauver cette liberté perdue, nous apportant ainsi la possibilité d'une libération intérieure.

Je crois que de plus en plus de jeunes Occidentaux ont saisi ce message d'espérance, même si leur quête prend des formes très diverses et ne s'enracine pas nécessairement dans une foi explicitement chrétienne. Ils ont en effet compris que la liberté consiste à aimer, et ils s'engagent dans des pratiques spirituelles et sociales visant la double libération, intérieure et extérieure, sans laquelle le monde s'enfoncerait toujours plus dans la haine, l'indifférence et le non-sens.

Chapitre 2

Frères humains

Jésus n'a rien enseigné d'autre que l'amour du prochain. Dans la mesure où j'ai cherché à mettre en pratique le message du Christ, je me suis donc efforcé toute ma vie d'aimer. J'aurais pu faire ce chemin au sein d'une communauté monastique, comme je l'avais tout d'abord envisagé. Mais la Providence en avait sans doute décidé autrement puisque, de fil en aiguille, j'ai été amené à quitter le couvent puis la vie d'aumônier d'hôpital en montagne, puis de vicaire de la cathédrale pour me trouver totalement immergé dans l'immense détresse des sans-abri et des exclus de toutes sortes.

Cette longue existence parmi les plus souffrants m'a permis de comprendre non seulement à quel point l'amour fraternel est au cœur de toute vie chrétienne, mais aussi que la solidarité et la lutte contre la misère et les inégalités sont, pour tout homme, le choix décisif, celui qui engagera le plus profondément sa vie, lui donnera sens, et fera de lui un participant à part entière de l'avènement du Royaume de Dieu.

Nous poursuivons tous en effet la même fin : le bonheur. La vraie question, c'est le choix des moyens. Quelles que soient sa culture, sa condition, l'époque où il vit, tout homme est confronté à choisir entre deux voies : être heureux sans les autres ou bien être heureux avec les autres. Être suffisant ou être communiant. Ce choix, qui est à refaire chaque matin, est le plus fondamental qui soit. Il détermine ce que sera substantiellement notre vie. Il nous façonne.

Choisir d'être suffisant, cela signifie supposer possible de réellement se construire, s'accomplir, soi, sans tenir compte des besoins, des souffrances et des demandes des autres. C'est être prêt à tout : à écraser, à piller, à exploiter, à nier les autres pour parvenir à ses fins. La peur de la loi et du châtiment empêchera souvent de passer à l'acte, mais dans le fond du cœur c'est ce choix-là qui aura été fait. L'autre chemin, c'est celui du communiant, de l'accomplissement avec et par les autres en se tenant à l'écoute de leurs souffrances et de leurs besoins. C'est choisir d'être heureux en partageant les joies et les peines des autres, et cela, qu'on soit ou non croyant.

Dans les débuts d'Emmaüs, un vieux prêtre belge qui suivait l'une de nos communautés m'appelle vers 7 heures du matin. « Père, me dit-il, il faut que je vous raconte. Cette nuit, on vient frapper à la porte de la communauté. Un compagnon va ouvrir. Apparaît le commissaire de police de la ville. Celui-ci ne le reconnaît pas, alors que ce compagnon avait passé plusieurs jours en prison pour soûlerie peu de temps avant. "Monsieur, explique le commissaire, vient d'arriver au poste de police une femme en fuite. Son mari est fou. Il peut la tuer, elle et ses quatre enfants. J'ai cherché en vain où la loger. On ne peut pas les laisser au commissariat, alors j'ai pensé à vous." Le compagnon lui répond sans hésiter : "Monsieur le commissaire, allez la chercher

avec ses enfants." Puis il s'en va réveiller ses cama-
rades de dortoir et leur raconte l'histoire. Les types
se lèvent, préparent des lits avec des draps propres
et installent la maman et les gosses. Puis, pour ne
pas avoir froid (c'était au cœur de l'hiver), ils s'en-
foncent dans l'amas de vieux journaux pour finir la
nuit. Le matin, me raconte le curé, au moment de
prendre le café, ils étaient là debout dans le corridor,
se disant "ferme ta gueule, pas de bruit, les petits
dorment !" » Et le vieux curé de me dire, tout ému :
« Père, quel est le monastère où on aurait fait
cela ? »

Ces choix sont avant tout individuels, mais ce
sont aussi des choix de société. Voulons-nous une
société solidaire, qui serve en premier les plus
faibles et les plus souffrants ? Ou au contraire une
société individualiste qui laisse les forts écraser les
faibles ou qui les abandonne au bord du chemin ?
Dans le premier cas, nous lutterons de toutes nos
forces pour réduire les inégalités et nous garantirons
une paix sociale durable. Dans l'autre, nous laisse-
rons croître les disparités et les situations d'injustice,
et nous serons confrontés à une constante colère
sociale. N'est-ce pas malheureusement la voie dans
laquelle nos sociétés les plus riches semblent avoir
choisi de s'engager ?

Ne cessons pas de le proclamer, et c'est tout à fait
paradoxal, la seule manière d'assurer une paix solide
c'est de mener une guerre implacable contre le mal
qui nous agresse par la misère d'un grand nombre,
le chômage, la corruption, le racisme. Nul ne peut
rester indifférent. Sinon il est complice. Chacun doit
se révolter quand des enfants ne mangent pas à leur
faim, quand des familles sont mal logées, quand tant

de jeunes n'ont presque aucun espoir de trouver un travail décent. Sans ces colères-là et les initiatives neuves qu'elles réclament, quel espoir restera-t-il pour la paix sociale ? Et, disons-le aussi, pour la paix dans le monde, dans la mesure où la plupart des menaces terroristes ou des conflits armés sont aujourd'hui directement produits par la misère et l'injustice qui règnent dans le monde. Le terrorisme islamiste ne recrute pas ses adeptes dans les beaux quartiers d'Alger, de Paris ou du Caire, mais dans les banlieues défavorisées des grandes agglomérations où prolifèrent la misère et le désespoir qui l'accompagne.

Comme en cas de conflit armé, toute la population devrait aujourd'hui être mobilisée pour mener une guerre sans merci contre le chômage, le racisme et les nouvelles pauvretés. Il faudrait que des hommes politiques aient le courage de dire : « C'est la guerre, mobilisons-nous tous et acceptons les sacrifices que cela implique », et que les citoyens aient le courage de voter pour ceux-là. Il y a la sale guerre, celle qu'on déclare à une autre communauté humaine ou qui nous est imposée par un agresseur. Et il y a la belle guerre, celle qu'on déclare aux injustices, au racisme ou à la misère pour sauver une société du naufrage qui la guette. Et cette guerre-là pourrait aisément mobiliser une jeunesse aujourd'hui sans horizon.

La loi civile n'est jamais appropriée à la guerre. Lorsque les circonstances sont exceptionnelles, il faut savoir recourir à la loi des lois, celle qui exige qu'on sauve des vies humaines, qu'on préserve la dignité de tous. Pendant la Seconde Guerre mondiale, j'ai ainsi été conduit à transgresser la loi inique du gouvernement de Vichy en entrant dans la Résistance pour sauver la vie de Juifs que l'État livrait aux nazis. Au nom de cette loi des lois : « tu aimeras », je n'ai pas hésité une seconde à désobéir à la loi humaine qui demandait de collaborer avec les Allemands dans leur ignoble dessein d'exterminer un peuple.

Dans la guerre pour le logement qu'avec les communautés d'Emmaüs je mène depuis plus de quarante ans, nous avons également été conduits, et à plusieurs reprises, à transgresser la loi civile au nom de cette loi des lois. Plusieurs fois, j'ai dû mentir à l'administration ou la mettre devant le fait accompli, en dehors de toute légalité, pour pouvoir loger des familles en situation d'extrême détresse.

Je me rappelle la première cité : Champs-Fleuris. Il y avait un champ abandonné appartenant au maire de la commune qui, merveilleux ami, nous le vendit à crédit, et où nous avons construit en un temps record des logements pour dix-neuf familles à la rue. On nous reprochait l'absence d'adduction d'eau, d'électricité, de tout-à-l'égout, nécessaires en effet pour que ces familles puissent vivre décemment et dans la légalité. L'affaire a été portée devant l'administration, et je me souviens encore d'un coup de fil de Claudius-Petit, le ministre du Logement, un ami de Résistance, qui m'engueulait de procéder ainsi. « Mais mon vieux, lui ai-je répondu, si tu n'es pas fichu de loger légalement des familles, le seul moyen de les sortir de la situation intenable dans laquelle elles se trouvent, c'est d'agir illégalement et de te mettre devant le fait accompli ! À toi de te débrouiller ensuite avec tes services pour les faire entrer dans la légalité ! » Aujourd'hui, des associations comme « Droits devant » s'inspirent des mêmes méthodes.

Il y a quelques années, j'ai appris l'histoire extra-ordinaire d'une sorte de Robin des Bois moderne, qui vivait au début du siècle. Il fabriquait de la fausse monnaie et en distribuait la plus grande part aux pauvres. Arrêté deux fois, il avait réussi à s'évader. La troisième fois, il a été pendu. On l'a enterré dans le cimetière d'un petit village non loin de Sion, sans cérémonie religieuse et en refusant de mettre une croix sur sa tombe. Or, il s'est très vite produit un phénomène que les autorités n'auraient jamais imaginé : sa sépulture est devenue un véritable lieu de pèlerinage où l'on vient parfois de très loin pour rendre hommage à ce hors-la-loi. Sa tombe est sans cesse fleurie, et l'on a planté quatre pieds de vigne dont l'entretien est périodiquement confié à quelque personnalité célèbre. À ce moment, c'était l'acteur Jean-Louis Barrault qui en avait la responsabilité.

Lorsque je suis venu en ce lieu, les habitants ont tenu à m'honorer de cette charge. J'ai taillé la vigne et j'ai également béni la tombe et planté une belle croix en bois ! On veille au bon entretien de ce minuscule domaine, autour duquel affluent des groupes de jeunes, avides d'actions belles et désintéressées.

J'ai été député pendant un peu plus de six ans et j'ai vite compris une chose simple : le travail des hommes politiques consiste essentiellement à décider à qui prendre de l'argent pour le redistribuer. Lorsqu'une société ne se donne pas pour priorité de réduire les inégalités criantes, de lutter de toutes ses forces contre la misère, le chômage, le drame des sans-logis, il est parfaitement normal que des initiatives que j'appelle « anticipation sur la loi » se produisent, les lois finissant généralement par les reconnaître.

On s'est interrogé l'hiver dernier sur les raisons qui poussaient les SDF à refuser d'aller dans les abris et à préférer coucher dehors par grand froid au péril de leur vie. L'explication est pourtant bien simple : comment voulez-vous que des individus totalement marginalisés tout au long de l'année, qui ont appris à ne compter que sur eux-mêmes, s'ouvrent soudainement aux bienfaits de la solidarité ? C'est impossible. Ce n'est pas en pensant à eux quinze jours par an qu'on peut les aider, mais en agissant tout au long de l'année de telle façon qu'ils puissent trouver leur place dans la société.

Nous laissons s'écrouler au bord du chemin des milliers d'hommes et de femmes trop faibles pour s'adapter aux exigences difficiles de la vie moderne, et nous nous étonnons qu'ils soient un jour devenus si étrangers à notre société qu'ils ne peuvent même plus saisir une main tendue lorsque leur vie est en danger. Je l'ai dit, c'est un véritable choix de société que nous avons à faire : servir en premier les plus forts ou bien les plus faibles. Et c'est ce choix qui détermine la grandeur ou la bassesse d'une famille, d'une tribu, d'un pays ou d'une civilisation.

Nous sommes actuellement confrontés en France à une autre menace à laquelle nous devons être très sensibles : celle du racisme et de la xénophobie. Tout dans ma vie, dans ma foi, mais aussi dans mon tempérament m'éloigne de ce type d'attitude. Souvenons-nous d'abord que nous sommes tous métis. L'identité française « pure » à laquelle renvoient les idéologues de l'extrême droite est totalement mythique. De par sa situation géographique, la France est en quelque sorte la plage finale de toutes les migrations historiques qui se sont faites d'est en ouest. Elle a aussi, par son climat tempéré, attiré de nombreux peuples du Nord et du Sud. Si bien que la France est un mélange, plus qu'aucun pays européen, de Vikings, d'Arabes, de Huns, de Francs, de Wisigoths, etc. Et je dois avouer que je suis particulièrement fier d'être un condensé de l'humanité en tant que citoyen français !

Quand j'entends un Le Pen hurler : « La France aux Français », je ne puis m'empêcher de lui crier à mon tour : « La France aux Français, oui, je me suis battu pour cela pendant la guerre, et certains de ceux qui avancent ce slogan n'en ont pas fait autant. Mais aujourd'hui je dis surtout : "La Terre aux humains." » Il est impensable de vivre bien à l'abri chez nous en ignorant la misère qui se propage à nos frontières, notamment en Europe de l'Est et en Afrique. Nous devons être solidaires avec ces peuples et consacrer une part beaucoup plus importante de notre budget à les aider pour que, chez eux, ils puissent s'en sortir. Faute de quoi, rien ne permettra de mettre un terme à l'immigration clandestine. Faudra-t-il armer les gardes-frontières de mitraillettes pour repousser les affamés qui viendront chercher chez nous simplement de quoi survivre ?

Je comprends l'exaspération de certains Français qui vivent dans des cités où la délinquance engendrée par le malheur, et qui n'est donc pas seulement le fait des immigrés, rend la vie impossible. Mais la seule réponse à ce problème, c'est un effort de solidarité nationale et mondiale en faveur des plus démunis, tant en France qu'en dehors de nos frontières. Penser que nous réglerons le problème en reconduisant à nos frontières tous les immigrés en situation irrégulière est un leurre. De par la mondialisation, nous sommes aujourd'hui contraints à faire de nouveaux choix de civilisation qui impliquent une redistribution des richesses à un niveau plus global.

Le monde va très probablement traverser des crises graves, qui obligeront les nations les plus développées et les moins peuplées à faire un choix : soit de repliement en privilégiant l'ordre et les intérêts en place (ce qui, à terme, s'avérera intenable et engendrera la dictature), soit d'ouverture solidaire. Cette seconde voie implique un effort de chacun, un renoncement pour beaucoup à bien des privilèges, et à une redistribution des moyens permettant à chaque peuple de développer à son tour ses propres richesses.

Aujourd'hui, avec la montée préoccupante de l'extrême droite et des racismes, j'ai le sentiment que nous sommes déjà en situation de guerre. Certaines paroles, certains actes en tout cas ne sauraient être supportés, et nous devons tout faire pour les combattre.

Et lorsqu'on nous annonce une loi qui tend à faire de chacun un auxiliaire de la police, comment s'étonner que tant de citoyens, dont beaucoup au plus haut niveau de responsabilité, déclarent refuser d'obéir ? Comment les blâmer ? Bien sûr, la France ne peut pas accueillir toute la misère du monde. Bien sûr, elle doit régler les questions relatives à l'immigration. Mais elle n'y parviendra qu'en traitant le problème au niveau européen et mondial. Quant au fichage des étrangers présents sur notre sol, comment ne pas comprendre que l'idée en est insupportable à une jeunesse qui vit sa première génération planétaire ?

Je veux évoquer ici un fait qui ne soulève généralement guère d'indignation, mais qui, personnellement, m'affecte profondément. La musique de *La*

Marseillaise est connue du monde entier et souvent appréciée pour son rythme entraînant. Mais est-il encore possible de rester indifférent à certaines de ses paroles en un temps où les discours racistes se multiplient ? Quel que soit notre attachement à un hymne si enraciné dans le patrimoine de la République, peut-on encore tolérer ces odieuses paroles qui incitent à la haine raciale : « qu'un sang impur abreuve nos sillons » ? Comment, après les horreurs commises par le nazisme au nom du sang pur aryen, accepter de transmettre à nos enfants de tels propos ?

A ma connaissance, aucun autre hymne national ne contient l'équivalent. Les Soviétiques et les Chinois ont changé les paroles de leur hymne respectif au lendemain de la mort de Staline puis de Mao. Pourquoi ne pas procéder de la même façon en France ?

Évidemment, il y faudra une consultation référendaire. Mais ce genre de référendum pourrait facilement être organisé sans campagne, ni frais, en utilisant des bulletins qui seraient joints à une prochaine consultation nationale où figurerait par exemple cette question : « Approuvez-vous ou n'approuvez-vous pas l'idée de modifier le texte de *La Marseillaise*, et dans l'hypothèse où vous y êtes favorable, souhaitez-vous confier à l'Académie française et à l'Académie des sciences morales et politiques le soin de choisir et de proposer un nouveau texte ? »

Lors de la commémoration du deuxième centenaire de la Déclaration française des droits de l'homme s'est constituée une association, « Pour une *Marseillaise* de la fraternité », dont je suis membre. Nous avons été rejoints par plusieurs généraux en retraite et quelques éminentes personnalités.

Est survenue la guerre du Golfe. Des Français s'y
trouvant engagés, l'association a unanimement
décidé de surseoir aux campagnes relatives à
l'hymne national. L'association est donc restée en
veilleuse, mais elle est prête à reprendre cette action.
N'est-ce pas le moment ou jamais ?

Chapitre 3

Rencontre à l'aube

Bien souvent, on me demande : « Comment avez-vous pu tenir le coup tout au long d'une vie à bien des égards si rude ? » En fait, toute l'énergie dépensée en faveur des plus pauvres, toutes les actions menées à travers la planète, toutes ces luttes harassantes, n'ont été possibles que parce que j'avais acquis, au cours de mes années de vie monastique, un état de prière. Plusieurs heures par jour, et au milieu de chaque nuit, j'étais plongé dans la contemplation du mystère ineffable de Dieu Amour. Cette adoration, cet « éblouissement supportable » comme j'aime à dire, est devenue, sans que j'en sois très conscient, une respiration fondamentale. Même au cœur de l'action, tout fut vécu, fondé sur cet état de prière, dans ce cœur à cœur silencieux avec l'Éternel.

Certes, on peut réciter des prières, comme le « Notre Père » ou le « Je vous salue Marie », et je ne m'en prive pas (je ne peux pas m'endormir sans redire des *Ave* à Notre-Dame). La prière peut être un acte. Mais, beaucoup plus profondément, c'est un état. Dès l'instant où nous sommes animés par une foi vivante en Dieu Amour, tout naturellement nous vivons chaque instant comme baignés dans cet

Amour bien que nous restions fragiles pécheurs.
Chacune de nos actions, même la plus banale et la
plus quotidienne, se vit secrètement dans cette intimité amoureuse avec Dieu. C'est un état que les
amoureux connaissent bien : quoi qu'on fasse, celui
que nous aimons nous habite. La prière, ce n'est rien
d'autre que cet état particulier dans lequel on est
constamment plongé dès l'instant où notre foi est
pleinement vivante.

Évidemment, nous n'avons pas toujours
conscience de cet état. Par moments seulement,
soudain, nous réalisons que notre cœur est en permanence habité par la pensée de l'Éternel... un peu
comme un père de famille qui, au milieu de ses
occupations, aperçoit la photo de sa femme et de ses
enfants sur son bureau et réalise que son cœur est
avec eux.

Il est fréquent que je reçoive des lettres qui me
demandent : « Priez pour moi. » Je ne peux jamais
répondre « Oui, je prie pour vous ». En vérité, je ne
peux que dire : « Soyez certain que je vous garde
présent en moi dans l'offrande quotidienne des
efforts de chaque jour, en présence de l'Éternel
Amour. » Je porte dans mon cœur tous ceux que le
Seigneur a mis sur ma route. Comment être séparé,
en notre cœur, de la misère et de la souffrance du
monde ? Comment ne pas porter au plus intime de
soi toutes les intentions de paix et de compréhension
entre nos frères les hommes ? Comment ne pas être
constamment habité par ces demandes et ces suppli-
cations ? Il est alors vain de passer ses journées à
dire à Dieu : « Fais ceci, fais cela, n'oublie pas un
tel, etc. »

« Ne rabâchez pas comme les païens, nous dit
Jésus : votre Père qui est dans les cieux sait très
bien ce dont vous avez besoin. » Cela n'est pas

contradictoire avec cette autre parole : « Priez sans cesse », « Demandez et vous recevrez, frappez et on vous ouvrira ». J'exprime aussi souvent des prières de demande.

J'ai d'ailleurs redécouvert récemment la prière à l'ange gardien. Après avoir presque totalement oublié la présence des anges dont nous parle pourtant la Bible à maintes reprises, j'ai repris l'habitude, depuis quelques années, de prier mon ange gardien et celui des autres dans les situations difficiles ou lorsque j'ai égaré quelque chose d'important. Et de fait, assez souvent, ça fonctionne !

J'ai également remarqué que Dieu anticipait souvent nos demandes. Je me souviens d'un vieux compagnon d'Emmaüs, le premier à mourir parmi nous. Il avait passé pas mal d'années dans la Légion étrangère, et ce n'était pas un enfant de chœur. Mais peu avant sa mort, il m'a dit : « Père, j'ai une sœur qui est religieuse en Afrique. Je ne l'ai pas vue depuis que j'ai quitté ma famille mais je sais qu'elle vit encore. Vous lui direz que je suis mort. » Et puis il a ajouté : « J'aimerais bien avoir une statue de la Vierge dans ma chambre. » J'étais stupéfié par cette demande, car ce n'était vraiment pas le genre du bonhomme. À ce moment, le facteur sonne à la porte. Je descends ouvrir. Mademoiselle Coutaz avait déjà réceptionné le courrier et me dit : « Tiens, il y a un paquet. » Elle l'ouvre et découvre une petite statue de Notre-Dame de Lourdes ! J'ai remonté l'escalier quatre à quatre pour accrocher la statue de la Vierge dans la chambre du compagnon.

En fait, dans cet état souterrain de prière permanente, nous sommes habités par toutes les demandes qui jaillissent du plus profond de notre cœur, et point n'est besoin de les formuler explicitement à haute voix. La prière orale a davantage de sens d'un point de vue communautaire. Lorsque j'étais au monastère, j'aimais à réciter certains psaumes, et plus encore le *Pater*. Il arrive bien entendu aussi que nous ressentions le besoin de formuler explicitement certaines prières de demande ou d'action de grâces. Cela m'arrive souvent, comme il m'arrive fréquemment de réciter des « Je vous salue Marie ». Mais cette forme de prière est surtout utile au croyant qui prend davantage conscience de sa relation à Dieu. L'Éternel, lui, heureusement, n'a pas besoin que nous le rappelions sans cesse à l'ordre pour lui dire ce qu'il a à faire, de même qu'il sait parfaitement l'amour que nous lui portons.

Plus encore qu'à l'utilité des prières orales, je crois en la nécessité de temps privilégiés consacrés à Dieu seul. Ce qu'on appelle l'oraison, ou l'adoration, sont ces temps de respiration, où, au cœur d'une journée trépidante, on s'ingénie à ménager quelques instants pour se replacer consciemment en présence de Dieu. C'est comme ouvrir la fenêtre et aspirer un grand bol d'air frais. L'oraison nous replace devant l'essentiel, crée une distance à l'égard de nos préoccupations et de nos soucis. C'est un temps de ressourcement d'autant plus utile qu'on mène une vie active et donc pleine d'imprévus. Sans ces moments silencieux, comment échapperait-on au risque de tomber dans l'activisme, de manquer de recul, d'être asphyxié dans l'action, de perdre de vue l'objectif fondamental de notre vie ? L'adoration nous replonge quotidiennement dans l'essentiel. C'est un acte de foi qui, en même temps, nourrit la foi, l'amour et l'espérance du croyant.

Pour les uns ce peut être un temps quotidien (dix minutes, une demi-heure), pour d'autres un temps hebdomadaire (c'est en grande partie le sens du shabbat juif et du dimanche chrétien), pour d'autres encore une semaine de retraite par an dans un monastère. Mais je suis persuadé qu'aucun croyant actif ne peut se passer de ces moments privilégiés où il n'est plus qu'adoration du Créateur, où il reprend force dans le silence de l'intimité avec Dieu, où il ouvre sa conscience sous le regard de l'Éternel Amour. Jésus lui-même nous a donné l'exemple de ces retraites solitaires : avant sa mission apostolique, il passe quarante jours au désert ; plusieurs fois, il part prier seul dans la montagne.

Ces quelques remarques permettent déjà d'éclairer un peu le sens de la vie contemplative. Il est fréquent d'entendre dire : « On a tant besoin d'infirmières, de médecins, de bras secourables. Pourquoi ces chrétiens convaincus vont-ils s'enfermer toute leur vie dans des couvents, à prier toute la journée, au lieu de se plonger au cœur d'un monde qu'il faut sans cesse guérir et améliorer ? »

Je me souviens, c'était juste avant mes soixante-quinze ans, lorsque je me suis retiré au monastère de Saint-Wandrille pour partager pendant huit ans la vie de silence et d'adoration des moines. (De temps à autre, il est vrai, je devais partir ici ou là pour répondre à des appels importants.) Le maire du petit village est venu un jour me trouver pour me dire que la population ne comprenait pas pourquoi moi, avocat infatigable des exclus, je venais « perdre mon temps » dans ce monastère ! J'ai écrit dans un bulletin du village une longue lettre pour expliquer comment la vie active et la vie contemplative n'étaient en rien contradictoires. Je suis même convaincu que sans ces véritables centrales d'énergie divine que sont les monastères, l'action des apôtres, des militants, de tous ceux qui luttent au cœur du monde, ne tiendrait pas. Beaucoup d'entre eux ressentent d'ailleurs la nécessité de faire des séjours parmi les contemplatifs. Et ils en sortent spirituellement plus riches.

Je n'oublierai jamais, à ce propos, l'image qu'utilisait le géologue Pierre Termier : « Vous vous étonnez de l'existence des contemplatifs. Mais vous êtes-vous jamais étonné de l'existence des glaciers ? Que de place perdue ! Peut-être y a-t-il dessous des minerais de grande valeur et rien ne pousse dessus. Mais si les glaciers n'existaient pas, il y a longtemps que toute vie aurait disparu dans la vallée. Car l'air pollué s'échauffe et monte ; lorsqu'il arrive au contact des glaciers, il se refroidit et se sépare de tout ce qui le pollue. Puis, l'air régénéré redescend dans la vallée. Sans ce travail permanent, la mort aurait déjà envahi l'humanité. » Il en va de même des contemplatifs, disait ce savant croyant : ils ne servent apparemment à rien, ils semblent improductifs, mais sans eux, sans l'amour qu'ils déversent mystérieusement, l'humanité aurait peut-être déjà succombé sous le poids de la haine.

Deux remarques encore à propos de la prière. La première concerne la notion d'offrande. Tous les matins, au lever, j'offre à Dieu toute ma journée. Cet acte est fondamental : quoi qu'il advienne aujourd'hui, je sais que rien n'est vain puisque tout est librement offert. Même s'il y a des ratés, du gâchis, des fautes, Dieu tirera le meilleur de chaque vie offerte pour construire la Jérusalem céleste, la Terre nouvelle et les Cieux nouveaux.

La deuxième remarque concerne la louange. Ne soyons pas ingrats. Nous pensons à nous plaindre mais rarement à remercier. Quand ça va mal, nous adressons à Dieu toutes sortes de plaintes ou de reproches ; mais songeons-nous à le remercier quand les choses vont bien ? Combien sont-ils, les croyants qui pensent à dire à Dieu : « Merci, parce que j'ai la force de travailler, parce que ce paysage est beau, parce que les enfants sont fraîcheur, parce que j'aime mon travail » ?

Les catholiques disent dans le *Gloria* « Nous te rendons grâce [c'est-à-dire merci] pour ton immense gloire ». Cette parole m'a longtemps intrigué, et d'autant plus vivement que je récite le *Gloria* tous les jours, avant ou pendant la messe. D'ordinaire, nous disons merci pour un cadeau, pour un don reçu, mais qu'est-ce que la gloire de Dieu dont il est question ici ?

Je crois que c'est d'être « Amour reconnu comme Amour ». L'amour n'est en plénitude, comme explosion de joie, que s'il y a quelqu'un pour le reconnaître et répondre. Sinon, il s'agirait d'un trait de lumière perdu dans un vide absolu. L'amour prend toute sa dimension lorsqu'il trouve son écho dans un être qui en est conscient et lui rend amour pour amour. Dieu est Amour, et sa gloire c'est d'être reconnu comme tel. En disant à Dieu « Nous te rendons grâce pour ton immense gloire », nous ne le remercions pas pour tel ou tel présent, mais simplement d'être ce qu'il est en la Trinité et ce qu'il nous en manifeste. Nous lui disons : « Merci d'être Amour et de nous l'avoir dit. » C'est fondamentalement la prière du croyant qui est pénétrée du mystère insondable de Dieu Amour. Et, pour moi, c'est cela l'adoration. J'ai passé des heures chaque nuit au couvent à dire à Dieu : « Merci pour ce que tu es. »

Quand je ne suis pas en Normandie, dans la maison de retraite des compagnons d'Emmaüs, j'ha-

bite dans la banlieue parisienne au dixième étage
d'une tour. De là, j'ai une vue magnifique sur tout
Paris. Sous ma fenêtre, il y a l'autoroute qui entre
dans la capitale, et le soir je vois des milliers de
phares dans les deux sens, sans compter les
centaines de milliers de lumières qui proviennent
des appartements parisiens. Que de fois ai-je médité
la nuit devant ma fenêtre, pensant : « Mon Dieu,
quelle multitude enchevêtrée de sanglots, de
bonheurs, de sourires d'enfants, de détresse de
malades, de joie d'amoureux, de tristesse de
personnes seules ! » Et j'ai pris l'habitude de dire la
messe, quand je suis seul, face à cette fenêtre
ouverte à cette multitude. C'est le vitrail par lequel
je contemple toute la joie et toute la souffrance des
hommes. Et, en même temps, c'est la nef de mon
Église. J'ai devant moi tous mes frères pour lesquels
j'offre le sacrifice de l'Eucharistie.

J'aime contempler ce grand mystère de Jésus qui
se donne dans ce petit bout de pain. Dans l'Eucharistie, Jésus est présent, non tel que nous le font
connaître les Évangiles, au jour le jour, mais tel qu'il
est présentement. Ressuscité. Dans ma foi, je sais
qu'Il est là, avec son corps glorieux, présent dans
cette hostie consacrée. Et c'est ainsi que je peux le
plus facilement m'approcher de Lui, le toucher,
goûter sa présence sans être ébloui par Sa lumière,
écrasé par Sa gloire.

J'ai découvert récemment, sur l'ordre des médecins, les vertus de la sieste. L'Eucharistie, c'est pour
moi comme une sieste de l'âme, un moment de
repos total au milieu des fatigues de chaque journée
où je peux totalement m'abandonner.

Je ne suis alors que ce pauvre prêtre harassé dépo-
sant ses fardeaux et disant à Jésus : « Décharge-moi,
c'est trop lourd. »

Chapitre 4

Amour et souffrance

La souffrance est une réalité profonde de la condition humaine. J'ai vécu toute ma vie au cœur de la souffrance des hommes. J'ai côtoyé tant de détresses que j'ai pu observer les réactions humaines les plus diverses face à la douleur. Elles se résument presque toujours en ces deux attitudes : l'acceptation dans l'amour ou la révolte. Presque tous les souffrants oscillent entre l'une et l'autre.

Personnellement, j'ai l'impression d'avoir été relativement épargné par la souffrance physique. Je n'ai jamais véritablement connu la faim (si ce n'est pendant les grèves de la faim, mais tout était alors différent puisqu'il s'agissait d'actes volontaires). J'ai souvent été malade, mais jamais de ces terribles affections comme celle dont souffrait mon père et qui lui faisait vivre un tel martyre que le médecin m'avait un jour confié qu'il était courant que des gens atteints par cette maladie soient tentés par le suicide. Mes plus grandes souffrances furent d'ordre moral.

Ayant choisi le célibat, ce fut par exemple le manque de tendresse et d'affection. Cela me coûta parfois beaucoup.

J'ai beaucoup souffert aussi du délaissement par les amis, de l'incompréhension. Même si ces moments-là ont été plutôt rares.

La première des deux épreuves les plus fortes de ma vie intervint en 1958 lorsqu'on m'interna pendant plusieurs mois pour épuisement physique et psychique. Des médecins persuadèrent mes proches que j'étais fou, et certains, avec des motivations très diverses, tentèrent alors de récupérer le mouvement Emmaüs... pour le sauver, pensaient nombre d'entre eux.

Puis il y eut cette tornade du printemps 1996. J'ai tout entendu : « L'Abbé Pierre est antisémite, il est sénile, il est devenu lepéniste... » Depuis j'ai retiré mes propos et demandé pardon. Au plus profond de moi, il y avait la douleur dont je savais que souffraient beaucoup de personnes auxquelles toute ma vie m'avait étroitement lié, en particulier mes frères juifs. Je crois aujourd'hui que ces tragiques malentendus provinrent du fait que, imprudent et trop hâtif, j'avais abordé dans un même document des questions de personnes, des questions politiques et des questions religieuses.

Un drame, dès l'adolescence, m'a fait découvrir comment la souffrance pouvait agrandir le cœur de l'homme au lieu de le fermer. Jeune collégien, j'étais très lié avec un autre garçon de mon âge qui faisait partie de la même patrouille scoute que moi. Le matin, nous servions souvent la messe ensemble. Un jour, je croise un autre scout qui me dit : « Léon est mort. » Je protestai : « C'est impossible, nous étions tous les deux à la messe ce matin et il n'était pas malade ! » Et j'entends : « Oui, mais tout à l'heure, il a été se baigner dans le Rhône avec deux autres types qui ne savaient pas bien nager. Pendant qu'ils se baignaient un canot à moteur est passé à toute allure, provoquant des vagues importantes. Elles ont emporté les deux garçons qui ne savaient pas nager. Léon s'est précipité pour tenter de les sauver. Il a réussi à en ramener un sur la rive, puis il a voulu, malgré l'épuisement, repartir sauver le second. Celui-ci se débattant dans la panique a entraîné Léon et ils se sont noyés tous les deux. »

J'ai écrit à sa maman que je connaissais bien. J'ai reçu d'elle cette réponse que je n'ai jamais oubliée : « Oui, j'ai très mal, mais en même temps je pense : Mon Dieu, tout ce qu'une maman rêve de réussite, de bonheur, pour son fils, vous lui avez tout donné, au centuple, en le prenant avec vous. » Cette réaction de foi si profonde m'a convaincu de ce que, devant de tels drames, on ne peut qu'aimer davantage ou bien se révolter. La souffrance, plus que toute autre expérience, plonge l'homme devant ce choix abrupt : l'absurde ou le mystère. Je suis en intime affection avec un père de famille qui a dû voir longtemps souffrir puis mourir son enfant. « Je ne peux plus croire, me disait-il, en un Être tout-puissant et qui laisse se produire tout cela, restant indifférent devant la souffrance d'un enfant. Pourquoi ? » En même temps, il me confiait : « Ma femme, par contre, n'en est devenue que plus croyante, se donnant encore plus dans toutes sortes d'œuvres, acceptant toutes sortes de responsabilités. »

Soit la souffrance écrase, soit au contraire elle grandit le cœur de l'homme. Soit elle nous plonge dans la nuit, soit elle nous ouvre de nouveaux horizons. Et tous nous pouvons passer de l'une à l'autre de ces extrémités. Face à de terribles souffrances, nous pouvons tomber dans le désespoir et dire :

« Non, ce n'est pas possible, la vie est totalement absurde, il n'existe aucun Dieu qui puisse permettre un tel mal. » Nous pouvons aussi grandir dans l'espérance et dire : « Mon Dieu, je crois que tu es Amour malgré toute cette souffrance, et je te fais confiance quand même. » Non seulement cette deuxième attitude aide à vivre et à traverser bien des épreuves, mais elle fait grandir en nous la foi, l'espérance et l'amour. Bien des paroles de la Bible, qui peuvent paraître insupportables, disent que Dieu éprouve le cœur de ceux qui l'aiment et les transforme dans le creuset de la douleur comme est épuré l'or par le feu.

Ne constatons-nous pas souvent que nombre de gens parmi les plus extraordinaires, les plus pleinement humains, les plus aimants et les plus solitaires que nous connaissons, ont traversé de dures épreuves ?

Il n'est pas rare de voir des familles gravement divisées se ressouder autour d'un enfant malade. On pouvait penser que l'amour n'avait plus sa place entre les parents. Et puis, à force de se relayer jour et nuit auprès de leur petit souffrant, renaît l'amour qu'on croyait à tout jamais perdu.

Ne voit-on pas aussi la souffrance susciter des actions solidaires, rapprocher les hommes entre eux et créer des liens profonds de cœur ? N'est-ce pas dans la fraternité cruelle des tranchées que s'est modifié le regard que portaient sur l'autre anticléricaux et gens d'Église ? Bien sûr, il n'est pas question de faire l'apologie de la douleur. Je ne souhaite à personne de souffrir, mais, constatant que la souffrance fait partie de la condition humaine, sachons vouloir que cette malédiction devienne le lieu et le temps d'un véritable approfondissement et élargissement du cœur de l'homme.

N'est-ce pas ce qu'a voulu dire Jésus en épousant la souffrance humaine dans toutes ses dimensions, hors celle du remords du coupable ? Il a été trahi par un ami et renié par les autres. Il a souffert terriblement dans son corps. Il a été humilié, incompris. Il a connu l'angoisse. Il a été aussi source de souffrance pour les siens. Sa mère est là, debout au pied de la croix. Bien des hommes ont connu des souffrances similaires et bien pires que celles du Christ par leur durée et leurs raffinements. Mais Jésus a vécu toutes ces épreuves avec une sensibilité telle qu'elles prenaient une dimension unique. Je crois que Dieu, en la personne du Christ, a totalement épousé la souffrance humaine, lui donnant sens et valeur, et, par là, fortifiant l'espérance de tout chrétien, de tout humain connaissant Jésus lorsqu'il est confronté au mystère du mal et de la douleur. À la suite de Jésus et de Marie, inséparables en ces heures du Golgotha, nous pouvons découvrir que la souffrance offerte, vécue dans l'amour, agrandit notre cœur aux dimensions de l'Amour divin.

Autant, j'y insiste, j'ai compris et tenté de vivre ce mystère du lien étroit qui peut unir amour et souffrance, autant je me garderai de dire à quelqu'un qui souffre : « Quelle chance tu as, ta souffrance est un don de Dieu. » C'est insupportable ! Je pense à Mère Teresa, que je connais bien et que j'aime beaucoup. C'est sûrement une grande sainte qui a su faire preuve toute sa vie d'une immense compassion pour les plus pauvres d'entre les pauvres. Mais comme bien d'autres, je ne puis accepter de l'entendre dire à des malheureux qui souffrent atrocement dans l'un de ses hôpitaux : « Vous avez de la chance de pouvoir vous unir ainsi à la Rédemption et aux souffrances du Christ. » Non, face à la souffrance d'autrui, je suis intimement persuadé qu'il n'y a que deux attitudes justes : le silence et la présence.

Me revient à ce propos en mémoire l'histoire d'un accident survenu lorsque je travaillais dans la communauté du Pérou. Nous vivions en plein centre de la ville de Lima sur une immense colline d'ordures, parmi tous les affamés qui venaient fouiller nuit et jour cette décharge sans cesse alimentée par les camions-bennes municipaux. Un jour, des journalistes demandent à venir visiter ce lieu immonde. En marchant sur le sol instable, l'un d'eux se déboîte le genou ; il hurle de douleur. On appelle une ambulance et je m'assois à ses côtés pendant le transport à l'hôpital. Voyant combien il souffrait, instinctivement je lui prends la main et la serre contre la mienne. Sitôt à l'hôpital, le médecin lui remet le genou en place et la douleur insupportable cesse. Il me dit alors : « Merci père, vous m'avez fait découvrir l'importance d'une main dans la main quand on souffre. Votre geste, plus que toute parole, m'a beaucoup aidé à supporter la douleur. »

Gardons-nous de faire la leçon à ceux qui souffrent. Gardons-nous de leur faire de beaux discours, fût-ce sur la foi. Ayons cette pudeur, cette discrétion qui nous rend présent par un geste affectueux, attentif, et discrètement priant, offrant un mal auquel nous nous faisons communiant. C'est cela la compassion. Et c'est l'une des plus belles et des plus enrichissantes expériences humaines.

Chapitre 5

Un rendez-vous tant attendu

J'ai eu récemment l'occasion de visiter à Paris un local comme il s'en crée dans de nombreux pays, et qu'on appelle un funérarium. Il s'agit d'un lieu destiné à permettre aux familles de venir se recueillir auprès d'un défunt. Il est bien évident que, dans les conditions de la vie moderne, il devient de plus en plus difficile aux familles de réserver une pièce à l'exposition du corps du défunt avant l'enterrement ou la crémation. C'est la raison pour laquelle ces salons funéraires se multiplient un peu partout en Europe et aux États-Unis. Malgré tout, je n'ai pu m'empêcher de m'interroger sur le risque d'esca-motage de la mort que peut entraîner ce type de pratique.

Avant, le mort était veillé dans la maison, au cœur de la famille. C'était un moment très important, où les enfants notamment pouvaient aborder avec leurs parents la question toujours un peu taboue de la mort. Il est essentiel de ne pas se débarrasser du problème, de ne pas esquiver la question.

Je pense que la mort fait partie de la vie, qu'elle est même un des points forts qui donnent sens à la vie. J'ai eu personnellement la chance d'être présent à l'instant précis du décès de trois personnes qui ont beaucoup compté pour moi.

Ce fut tout d'abord mon père. J'étais seul auprès de lui lorsqu'il rendit son dernier soupir. Il luttait depuis des mois contre une longue maladie. Quelques jours auparavant, il avait demandé à un cousin jésuite : « Charles, est-ce que maintenant je peux demander à Dieu de mourir ? » C'était un homme de grande foi. À partir de ce moment, tout est allé très vite. Je n'oublierai jamais son agonie. Son visage semblait parfois saisi d'épouvante. Je sentais un terrible combat intérieur. Étant moine, je faisais des signes de croix sur son front en prononçant des exorcismes pour éloigner les forces du mal. A chaque fois il se détendait. Puis il est parti dans une grande paix. J'aimais beaucoup mon père, mais je n'ai versé aucune larme. J'étais même empli de joie : je savais qu'il était enfin dans la présence définitive de Celui qui avait donné sens à toute sa vie.

Il s'est trouvé que j'étais également seul au chevet de maman lorsqu'elle rendit son dernier soupir. Sa personnalité était totalement différente de celle de mon père. C'était une forte femme, pleine d'énergie, qui a élevé sans états d'âme huit enfants. Mais au moment de mourir, elle était redevenue comme une petite enfant. Je ne l'avais jamais vue comme cela auparavant. Nous avons récité ensemble la prière que nous disions tous les soirs en famille. Puis, doucement, ses yeux se sont clos et elle s'est endormie une dernière fois. Ce fut d'une telle douceur que j'avais l'impression que les rôles s'étaient inversés : j'étais comme une maman au chevet de son tout-petit.

J'étais également présent, et seul, lors du décès d'une personne qui a joué un grand rôle dans ma vie : mademoiselle Coutaz. C'était ma secrétaire à

Emmaüs. Elle est morte à 83 ans après m'avoir supporté trente-neuf ans ! Sans elle le mouvement Emmaüs ne serait jamais devenu ce qu'il est. Les vieux compagnons qui l'ont bien connue disent : « Avec l'Abbé Pierre, il n'y aurait jamais eu un sou dans la caisse parce qu'il donnait tous les dons reçus au premier pauvre venu ! Mademoiselle Coutaz, elle, savait tenir les comptes, elle savait aussi comment dépenser l'argent à bon escient. » Sur sa tombe, ils ont écrit : « cofondatrice d'Emmaüs ». Et c'est la vérité. C'est le père de Lubac qui me l'avait recommandée, et c'était vraiment un cadeau de la Providence. Elle avait treize ans de plus que moi, et on peut difficilement imaginer femme si peu tournée vers la séduction. Heureusement, car si j'avais eu une ravissante secrétaire de 20 ans, c'eût été un véritable supplice pendant ces trente-neuf ans de vie partagée !

Elle est donc décédée dans l'appartement de Charenton qui lui servait de chambre-bureau. Ce qui m'a le plus frappé alors, c'est la terrible crispation de douleur sur son visage les deux derniers jours de sa vie, alors que deux heures plus tard il rayonnait de paix.

A l'occasion de chacun de ces trois décès, qui ont été mes plus intimes, je n'ai ressenti qu'un sentiment de joie.

Je me suis également trouvé personnellement plusieurs fois aux portes de la mort, et, alors que depuis mes 8 ou 9 ans je l'ai tant désiré, ces portes n'ont encore jamais voulu s'ouvrir ! La première fois où j'ai vraiment cru mourir, j'étais jeune adolescent, dans un camp scout au bord du lac d'Annecy. Un matin, en sautant hors de la tente, mon pied s'empale sur une pointe de roseau taillée en biseau. On m'a soigné avec les moyens du bord. Mais la plaie s'est infectée et, quelques heures plus tard, j'avais plus de quarante de fièvre. On m'a transporté d'urgence à l'hôpital, et, comme la fièvre ne cessait de monter, l'aumônier scout m'a préparé à mourir. J'étais content : enfin les grandes vacances ! Finalement je me suis remis. La route continuait.

Beaucoup plus tard, pendant la guerre, j'ai eu plusieurs fois l'occasion de mourir. L'une d'elles n'est pas banale. C'était en haute montagne, après un passage de familles juives à la frontière suisse. Je redescendais le glacier avec un ami, le guide Léon Balmat. Nous avions le cœur léger, comme on l'a souvent au retour, et avions négligé de nous encorder pour la descente. Soudain j'ai dévissé au beau milieu du glacier. Je me rappelle parfaitement que, pendant les secondes de cette folle glissade, me sont revenus à l'esprit les propos que Léon nous avait tenus à l'aller en franchissant la rimaye, cette immense crevasse où le glacier se détache de la montagne et vers laquelle j'arrivais maintenant à toute allure. « Quand quelqu'un tombe dans la rimaye, elle est si profonde qu'il est impossible de l'en ressortir. Et il arrive parfois que, cinquante ans plus tard, on voie ressortir au bas du glacier, par la rivière souterraine, les pieds d'un type conservé au frigo. Il est totalement intact, on peut même lire ses papiers d'identité ! »

Les miens en l'occurrence étaient faux, mais je me voyais déjà réapparaître congelé au XXIᵉ siècle sous les yeux de tranquilles promeneurs médusés. J'eus alors une chance incroyable : mon pied a heurté une anfractuosité du glacier et j'ai été stoppé net à quelques mètres de la crevasse.

Une autre fois encore, j'ai vraiment cru que ma dernière heure était venue. J'étais en avion entre Delhi et Bombay. Soudain il y eut un choc violent et inexpliqué. Le pilote a fait demi-tour, puis a tourné pendant vingt minutes au-dessus de Delhi pour se débarrasser de son kérosène car il craignait un crash à l'atterrissage. En de tels moments, on peut vraiment penser que tous les passagers se préparent à mourir. Il n'y a pas eu de panique : chacun faisait ses prières. Je pense que c'est important de voir la mort venir et de s'y préparer. Finalement, tout s'est bien passé.

J'ai publié par la suite dans une revue d'Emmaüs, sous le titre « Le But », la méditation sur la mort que cet incident m'avait inspirée. Cet article est parvenu au docteur Schweitzer dans sa léproserie de Lambaréné. Il m'a écrit une très belle lettre qui se terminait ainsi : « Merci pour ton article qui m'a aidé à me préparer au but que je sens si proche. Quand l'heure sera venue, je demanderai qu'on t'avertisse pour que tu sois auprès de moi à cet instant qui sera le plus important de ma vie. »

Mais je n'ai sûrement jamais été plus proche de la mort que lors d'un naufrage, il y a bientôt trente-cinq ans de cela. Je venais de terminer un travail pour Emmaüs en Uruguay. Je devais ensuite me rendre en Argentine. Au moment de prendre l'avion, on nous annonce que tous les vols sont annulés en raison du brouillard. On se précipite tous vers le port où un bateau s'apprêtait à lever l'ancre pour Buenos Aires. Nous étions en surnombre, et la plupart des passagers se sont installés sur des fauteuils pour passer la nuit. J'ai croisé là par hasard un prêtre français, l'abbé Audinet, qui m'a offert sa couchette. Comme j'étais épuisé, j'ai accepté.

Vers 4 heures du matin, il frappe brutalement à ma porte : « Levez-vous, vite, prenez le gilet de sauvetage qui est sous votre lit et montez sur le pont, le bateau coule ! » Effectivement, j'ai réalisé que le bateau commençait à couler de l'avant. L'arrière s'est soulevé de plus en plus au-dessus de l'eau. Enfin, le commandant a ordonné à tout le monde de sauter à l'eau.

Dans ce genre de circonstances, on voit se révéler la nature profonde de chaque être humain. Certains ont été admirables de solidarité et de dignité. D'autres, au contraire, se sont jetés comme des loups sur les rares chaloupes, chassant les femmes et les enfants qui tentaient de s'y réfugier. J'ai donné des absolutions collectives, et puis, au dernier moment, je me suis jeté moi aussi à l'eau. Il n'y avait plus à bord qu'une vingtaine de personnes, essentiellement des vieilles dames qui refusaient catégoriquement de prendre un bain forcé ! Bien leur en prit. Elles se réfugièrent avec le commandant – qui avait décidé de couler avec son navire – le plus haut possible, sur la passerelle de commandement. J'ai su plus tard par les journaux que le bateau s'est posé sur un banc de sable... laissant juste émerger la passerelle de commandement.

Quant à moi, je me suis accroché comme j'ai pu à une caisse à laquelle une dizaine d'autres malheureux étaient déjà cramponnés. Les naufragés avaient d'ailleurs un mouvement instinctif de regroupement : ceux qui étaient accrochés à une planche luttaient pour aller à la rencontre de quelque nageur isolé. De l'autre côté de mon radeau, il y avait un Sud-Américain qui nous racontait toutes sortes de bêtises pour nous soutenir le moral. Soudain, il m'a reconnu : « Mais t'es l'Abbé Pierre ! Vive la France ! » et il s'est mis à chanter *La Marseillaise*.

Après plusieurs heures de lutte contre le froid glacial et l'épuisement, j'ai perdu par deux fois connaissance.

Revenant à moi, j'ai eu la certitude que j'allais mourir. M'est alors venue, après m'être repenti des péchés de ma vie, cette pensée que je n'oublierai jamais : « Quand on a essayé pendant sa vie de mettre sa main dans la main des pauvres, au moment de mourir on est sûr de trouver la main de Dieu dans son autre main. » Puis j'ai perdu une nouvelle fois connaissance.

J'ai été repêché quatre heures plus tard par la marine argentine. Comme je ne donnais plus aucun signe de vie, on m'a déposé dans une soute avec tous les morts du naufrage. Mon aventure terrestre aurait pu s'arrêter là si l'un des marins apportant un nouveau cadavre ne m'avait vu bouger. On m'a remonté sur le pont et ranimé en me faisant de la respiration artificielle. Je me suis éveillé, tout nu, et j'ai aperçu deux grands marins qui riaient de me voir enfin ouvrir les yeux. J'étais sauvé, mais le plus dur restait à vivre. Je voyais sans cesse arriver un homme, une femme, sanglotant et me disant : on vient de repêcher mon enfant, il est mort...

Je me souviens de ce couple avec lequel j'avais eu le temps de sympathiser le soir sur le bateau. Ils avaient divorcé après plusieurs années de vie commune. Puis, devant la souffrance de leurs jeunes enfants, ils s'étaient retrouvés et finalement remariés. Ils effectuaient alors leur deuxième voyage de noces. Après le naufrage, j'ai vu arriver la femme en pleurs. Elle venait d'identifier le cadavre de son mari. C'était affreux.

Quand on a débarqué à Buenos Aires, une foule de journalistes nous attendaient. Me reconnaissant, ils ont fondu sur moi pour m'interroger. Je leur ai répondu : « Merci, vous êtes chics. Vous avez apporté des boissons chaudes, des vêtements, de quoi manger, merci. Mais je viens pour travailler parmi la population de Buenos Aires, parmi les sans-logis, les désespérés, ceux qui sont les naufragés de tous les jours. Aujourd'hui vous êtes tous là pour recueillir les impressions de quelques dizaines de naufragés d'une nuit. Mais pourquoi n'allez-vous pas recueillir le témoignage tellement plus poignant des millions de naufragés permanents des bidon-villes de Buenos Aires ? »

J'ai également été interviewé quelques jours plus tard par Philippe Labro, l'actuel patron de RTL. À l'époque, c'était un tout jeune journaliste de *France-Soir*. Il avait pour patron un grand homme de presse, Pierre Lazareff. Ce dernier l'appelle et lui dit : « Laisse tout tomber, saute dans le premier avion pour Buenos Aires et rapporte-nous un reportage monstre. On fera une pleine page avec des photos du naufrage : "L'Abbé Pierre sauvé des flots." » Plus tard Philippe Labro a raconté dans une émission dont j'ai vu récemment la bande vidéo : « J'ai été terriblement déçu parce que je n'obtenais rien de l'Abbé Pierre. Pour lui, le naufrage c'était du passé. Ça ne l'intéressait plus. Il ne me parlait que de ses projets avec Emmaüs au Chili, au Pérou et je ne sais plus où encore ! À la fin je me suis énervé et je lui ai dit : "Mais enfin, l'Abbé, quand on se trouve comme ça devant la mort, qu'est-ce que ça fait ?" Il m'a fait une réponse inoubliable, il m'a dit : "La mort, mais c'est comme une rencontre longtemps retardée avec un ami." »

Trente-cinq ans après cet épisode, alors que je me sens si proche du terme, je dirais exactement la même chose. C'est toujours ainsi que je vois la mort : un rendez-vous longtemps différé avec un ami. Si je considère le nombre de fois où j'ai failli mourir, je peux dire que Jésus, cet ami, m'a fait vivre plus d'une répétition préalable. Mais ce n'est pas grave, je continue chaque jour d'espérer cette rencontre tant attendue.

On parle de séparation à propos de la mort. Mais si c'est bien comme cela que la vivent ceux qui restent, ce n'est pas vrai pour le défunt ! Pour lui, la mort c'est avant tout l'éblouissement d'une rencontre fantastique, au-delà de toute imagination, avec Dieu, avec les anges, avec les milliards d'humains qui ont existé ! Oui, la mort peut être un merveilleux moment de notre vie.

Plus j'avance en âge – et ça commence à faire pas mal – et plus je suis convaincu qu'il y a deux choses essentielles dans la vie, deux choses qu'il ne faut surtout pas rater : aimer et mourir.

Toutes deux sont d'ailleurs intimement liées : notre mort est à l'image de notre vie. La mort, ce n'est rien d'autre que la sortie de l'ombre du temps. Au moment où l'on sort de l'ombre pour entrer dans sa lumière, on se voit tel qu'on s'est fait au cours de sa vie : communiant ou suffisant.

Je l'ai déjà dit : le partage fondamental de l'humanité n'est pas entre les « croyants » et les « non-croyants ». Il est entre les « suffisants » et les « communiants », entre ceux qui se détournent devant la souffrance des autres et ceux qui acceptent de la partager. Eh bien, certains « croyants » sont des « suffisants », et certains « incroyants » sont des « communiants ».

« L'enfer, c'est les autres », écrivait Sartre. Je suis intimement convaincu du contraire. L'enfer, c'est soi-même coupé des autres. « Tu as vécu en te voulant suffisant. Suffis-toi ! » À l'inverse, le Paradis c'est être en communion illimitée. C'est la joie du partage, de l'échange, baignés dans la lumière de Dieu.

La vie éternelle ne commence pas après la mort. Elle commence maintenant, en cette vie, dans le choix que nous faisons chaque jour de se suffire à soi-même ou de communier aux joies et aux peines des autres. Dieu n'aura pas à nous juger. Le jugement, ce sera cet instant de pleine lumière où chacun se verra tel qu'il s'est fait : suffisant ou communiant. L'homme sera, l'homme est déjà, son propre juge : « Et le jugement le voici, dit le Christ : la lumière est venue dans le monde et les hommes ont préféré les ténèbres à la lumière, parce que leurs œuvres étaient mauvaises » (Jean, 3, 19). Nos œuvres, c'est-à-dire nos actes, sont notre propre juge parce que nous sommes ce que nous faisons et non ce que nous disons ou imaginons.

Ne rêvons pas notre vie : faisons-la. Ne nous payons pas de mots : aimons. Alors, quand nous sortirons enfin des ombres du temps, notre cœur sera tout brûlant parce qu'il s'approchera de la source de tout Amour.

Chapitre 6

Toi qui pardonnes

Nul ne peut dire : j'ai vécu dix ans, vingt ans, cinquante ans, et je n'ai blessé personne ni offensé Dieu en rien. Ce n'est pas vrai. Pour les pécheurs que nous sommes, le pardon c'est l'espérance absolue. Ce qui m'empêcherait d'être dans l'espérance, ce qui me rendrait la mort angoissante, c'est de penser que je n'ai pas pardonné et donc que je n'ai pas été pardonné. Car il y a toujours cette double dimension dans le pardon. C'est ce qu'exprime la parole du « Notre Père » : « Pardonnez-nous nos offenses, comme nous pardonnons à ceux qui nous ont offensés. »

On peut faire à cet égard deux remarques. Il faut se demander tout d'abord, lorsque nous pensons à ceux qui nous ont offensés et à qui nous décidons de pardonner : n'y a-t-il pas eu de ma part quelque chose qui l'a poussé à m'offenser ? N'ai-je pas une part de responsabilité dans l'attitude agressive qu'il a eue envers moi ?

J'ai été député de la Meurthe-et-Moselle et je pense à un grand homme politique à qui j'ai finalement succédé comme député. Il s'appelait Louis Marin et c'était un homme tout à fait représentatif de la France centriste, un peu comme Antoine Pinay, un homme de sagesse. Or, j'ai appris il y a peu de temps qu'au moment de la ratification du traité de Versailles en 1919, un seul député avait voté contre : lui. Sa position avait consisté à dire : avec un tel traité, si dur, si exigeant, avant dix ans le peuple allemand sombrera dans la dictature. Quelle lucidité ! Et la dictature nazie a provoqué cinquante millions de morts, avec toutes les atrocités que l'on sait : l'extermination des Juifs, les chambres à gaz.

Je crois que, lorsqu'on est offensé, il est toujours nécessaire de s'interroger : « Est-ce que je n'ai pas une part de responsabilité ? »

En sens inverse, lorsque c'est nous qui sommes accusés et que nous décidons de demander pardon à ceux qui ont pu être blessés par notre faute, notre maladresse ou notre erreur, il arrive que l'on prévoie que vont nous être attribués bien d'autres torts que ceux dont on s'est réellement rendu fautif. Il faut alors avoir le courage d'accepter de demander pardon en conscience pour le mal qu'on sait avoir commis. Il ne faut jamais reculer devant cette demande de pardon, car lorsque les passions humaines sont déchaînées, c'est le seul moyen de les calmer et d'éviter des dérives dont les conséquences seraient encore plus dommageables.

Si j'ai eu plusieurs fois dans ma vie à demander pardon, et parfois dans des conditions très difficiles, j'ai eu aussi, comme tout le monde, des occasions de pardonner dans des conditions particulièrement graves. À la Libération, par exemple, je suis allé témoigner en faveur d'un homme qui m'avait trahi. À la demande de son avocat, j'ai accepté de venir expliquer les circonstances par lesquelles il s'était trouvé pris comme dans un engrenage. Je lui ai obtenu les circonstances atténuantes alors qu'il pouvait être condamné à mort.

Cet homme était l'auteur d'un très grand ouvrage, une sorte d'encyclopédie, sur les généalogies. L'occupation allemande arrivant, il est désespéré de ne pas trouver le papier de luxe nécessaire pour imprimer son prochain volume. Il rencontre alors un certain G. d. R., un des chefs français de la Gestapo. Celui-ci lui propose d'adhérer au Club aryen. « Là, lui dit-il, vous rencontrerez le gratin civil et militaire de l'occupant, et, ensemble, nous trouverons bien quelques aristocrates allemands qui seront si sensibles à vos œuvres qu'ils vous obtiendront le papier. » Il a accepté, il a adhéré au club, il a obtenu son beau papier et on a publié son volume.

Mais G. d. R. le tenait maintenant : « Ce n'est pas tout ça, expliquait-il, on a désormais une dette envers les Allemands et il faut, par vos relations de fonctionnaire, m'informer sur les activités de tel ou tel. » Et sous la peur, sous le chantage, cet homme a trahi. C'était un ami, il connaissait bien mes activités dans la Résistance. Il a révélé ma fausse identité. Il a révélé que j'avais été retirer, sous cette fausse identité, un *Ausweis*, un laissez-passer pour participer à des passages clandestins à la frontière pyrénéenne. J'ai été arrêté, j'ai réussi assez miraculeusement à fuir, puis, étant grillé, je me suis embarqué pour Alger.

À la Libération, j'ai donc accepté de témoigner pour cet homme en expliquant comment il avait été conduit à entrer dans un tel engrenage. Interloqué de me voir cité comme témoin de la défense, le président du tribunal m'interrompt et me dit : « Mais, monsieur l'Abbé, vous ignorez sans doute ce que l'on a trouvé sous le plancher de G. d. R. [qui s'était enfui en Suisse] ? Des liasses de petites

notes vous concernant qui lui étaient quotidiennement remises par le prévenu. C'est ainsi que vous
avez été arrêté par la Gestapo et que vous avez failli
être exécuté. » Je lui ai répondu : « Je sais cela,
monsieur le président, mais à titre personnel je n'en
veux pas à cet homme car je sais qu'il regrette
amèrement son attitude et qu'il s'est laissé piéger
par sa passion tout d'abord, par sa peur ensuite. » Il
s'en est finalement tiré avec cinq ans d'indignité
nationale.

Le pardon, bien évidemment, n'exclut pas la
justice humaine, j'y reviendrai plus loin, mais il
implique toujours une vision plus large, une prise de
hauteur, qui ne peut être vécue que dans l'amour.
L'Évangile nous donne un bel exemple de ce dépas-
sement de la justice par l'amour, de ce qu'est le
pardon, à travers la parabole de l'Enfant prodigue.

Jésus déclare encore : « Un homme avait deux fils.
Le plus jeune lui dit : "Mon Père, donne-moi
la part de biens qui doit me revenir."
Le Père partage sa fortune.

À peu de temps de là, réalisant tout son avoir,
le jeune homme s'en va dans un pays lointain.
Vivant dans l'inconduite, il dissipe son bien.
Il a tout dépensé, quand une sévère famine
survient. Il commence à manquer, et va se mettre
au service d'un homme du pays.

Envoyé dans ses champs y garder les cochons,
il voudrait bien se remplir le ventre des caroubes
qu'ils consomment, mais personne ne lui en donne.
Rentrant alors en lui-même, il se dit :

*"Tant de salariés de mon père ont du pain
en abondance, alors que moi je meurs de faim !
Je vais donc décider de retourner chez lui. Je lui
dirai :
Mon père, j'ai péché contre le ciel et envers toi,
je ne mérite plus d'être appelé ton fils.
Traite-moi comme l'un de tes salariés."*

*Il part donc pour revenir chez son père.
Il est encore loin quand celui-ci le voit.
Pris de pitié, il court se jeter à son cou,
le couvrant de baisers. Le fils lui dit alors :*

*"Mon père, j'ai péché contre le ciel et
envers toi,
je ne mérite plus d'être appelé ton fils."
Mais le père dit à ses serviteurs : "Hâtez-vous
d'apporter
les meilleurs vêtements, revêtez-l'en. Mettez
un anneau à son doigt et des sandales à ses pieds.*

*Amenez le veau gras, mangeons et festoyons,
car mon fils que voici était mort, et il est revenu
à la vie ;
lui qui était perdu, le voici retrouvé."
Ils commencent à festoyer.*

*Le fils aîné était aux champs.
À son retour, quand il approche de la maison,
il entend de la musique et des danses.
Appelant l'un des serviteurs, il lui demande :
"Qu'arrive-t-il ?" On lui répond : "Ton frère
est revenu, et ton père a fait tuer le veau gras
parce qu'il l'a retrouvé en bonne santé."*

*Le fils aîné, saisi d'une vive colère,
se refuse à entrer. Son père sort pour l'en prier.*

Mais il lui répond : "Depuis tant d'années que je te
sers
sans jamais transgresser un de tes ordres,
à moi jamais tu n'as donné même un chevreau
pour faire fête à mes amis. Mais ton fils que voici
revient
après avoir dilapidé ton bien avec
des prostituées, et tu fais tuer pour lui le veau
gras !"

"Toi mon enfant, tu es toujours auprès de moi,
répond le père ; et tout ce qui est à moi est à toi.
Mais il faut bien festoyer et se réjouir,
car ton frère que voici était mort et il est revenu
à la vie ;
lui qui était perdu, le voici retrouvé." »

(Luc, 15)

Mon expérience, c'est que Dieu est comme le père de l'Enfant prodigue. Son pardon est toujours offert, quelles que soient nos fautes, quels que soient nos reniements. L'être de Dieu est comme l'air que nous respirons : un état de pardon permanent. Le pardon, c'est en quelque sorte l'aspect maternel de Dieu. Une mère aimante pardonne toujours à son enfant.

Un tableau célèbre de Rembrandt représente un vieillard qui accueille l'Enfant prodigue sanglotant dans ses bras. On m'a fait remarquer, et peu de gens l'ont vu, que le peintre, mettant les deux bras du père sur les épaules du fils prodigue agenouillé, a volontairement peint un bras masculin et un bras féminin. C'est extrêmement fort. Ce choix rappelle que, dans la miséricorde divine, la dimension maternelle est présente. Car en Dieu, évidemment, bien qu'on le représente toujours comme un père, toutes les virtualités caractéristiques du masculin et du féminin sont présentes. Chaque fois que j'aborde ce sujet avec des femmes, je vois leur visage s'éclairer : elles sont encore si souvent, aussi bien d'ailleurs dans l'Église que dans la société, considérées comme la portion congrue du fait notamment de cette représentation exclusivement masculine de Dieu !

Pour comprendre comment le pardon de Dieu est toujours offert, on peut recourir à l'analogie de la lumière. Pour la physique la plus avancée de notre temps, la lumière est encore une inconnue. Rien ne l'arrête, ou du moins elle n'est arrêtée que dans des circonstances très particulières. Mais en l'absence de cet obstacle, elle se diffuse sans interruption. Il en va de même pour le pardon : c'est nous qui créons l'obstacle, qui édifions le mur qui peut (provisoirement) arrêter la lumière.

Dieu, parce qu'Il est substantiellement Amour, ne demande qu'à pardonner. C'est pourquoi Il ne nous condamnera jamais comme un tribunal. C'est l'homme, par le péché, par l'orgueil, qui se condamne lui-même, qui se coupe volontairement de la lumière.

Lorsque l'homme a édifié par son péché un mur qui empêche la lumière de passer, la seule chose qui puisse faire écrouler ce mur c'est le repentir. Car Dieu respecte toujours la liberté humaine. Si l'homme veut se couper de sa lumière, Dieu ne le forcera jamais à changer. Seul le repentir, le regret sincère de son acte permet à l'homme de retrouver la communion avec Dieu et avec autrui. En Dieu le pardon est permanent, Il n'attend que la démarche du regret et de la « contrition ». Ce mot est très fort, il veut dire littéralement : « des cailloux cassés à coups de marteau ». La Bible nous donne quelques exemples magnifiques de ce qu'est la contrition. Pour moi, le plus bouleversant de tous c'est celui du roi David (II, Samuel, 11 et 12).

Pendant que ses soldats sont à la guerre, il traîne dans son palais à fainéanter et à prendre des bains de soleil. Il remarque alors sur la terrasse de la maison d'à côté une superbe femme, Bethsabée, qui n'est autre que l'épouse de son général, Urie. Il la désire et envoie un domestique lui dire que le roi la demande. Elle se présente et il la prend comme maîtresse. Peu de temps après, elle lui fait dire qu'elle est enceinte. David est paniqué, il convoque Urie, le mari de Bethsabée donc, qui quitte son armée en pleine bataille pour s'en venir voir le roi. David lui demande des nouvelles du front puis lui dit : « Eh bien maintenant va te reposer, rentre chez toi », pensant qu'il va coucher avec sa femme et qu'alors on ne saura pas qui est le père. Mais Urie, admirable, dit au roi : « Vous n'y pensez pas ! J'irais me détendre dans le plaisir pendant que mes soldats sont au péril ? Pas question. » Et il reste dormir au corps de garde.

Se produit alors le comble, le pire du pire. Le roi David reconvoque Urie et lui confie un message scellé à porter au général en chef de son armée. Urie emporte le message du roi où il est écrit : « Je vous ordonne de confier à Urie une mission où il est certain qu'il soit tué. » C'est ce qui arrivera. Alors, David, admirable d'hypocrisie, accueille la pauvre veuve. C'est abominable, c'est d'un machiavélisme épouvantable.

Intervient alors Nathan, un prophète envoyé par Dieu qui raconte au roi l'histoire suivante : « Il n'y a pas loin de chez toi un homme très riche. Il a comme voisin un homme très pauvre, qui n'a qu'un bien : une petite chèvre. Et l'homme très riche, un jour où il voulait faire un bon dîner avec de la viande de chèvre, a dit à ses domestiques d'aller prendre la chèvre du pauvre. » Alors David entre dans une grande colère et dit : « Il faut rendre justice et châtier cet homme inique. » Le prophète lui répond : « Mais celui qu'il faut châtier, c'est toi ! Car ton général n'avait qu'une épouse, et vous vous avez un harem ! Et tu lui as pris sa petite chèvre, et tu as fait tuer Urie ! »

Le cœur endurci du roi s'ouvre alors à la grâce de Dieu et il prend brutalement conscience de l'horreur de son acte. Il jeûne, il prie sans cesse, et fait toutes sortes de pénitences tant son remords est intense. Et Dieu lui pardonne son crime atroce parce que sa contrition est sincère. L'enfant attendu ne viendra pas, et David sera par la suite le saint que nous connaissons, l'auteur d'admirables psaumes, le père du futur roi Salomon (le deuxième enfant qui naquit de son union avec Bethsabée).

On lit dans les Évangiles de nombreuses histoires bouleversantes qui illustrent ce double mouvement du pardon de Dieu toujours offert et de la contrition de l'homme. J'aime aussi beaucoup cette rencontre de Jésus avec la femme pécheresse, dont on peut penser qu'elle est la future sainte Marie-Madeleine :

Un pharisien avait prié Jésus à dîner avec lui.
Il entra chez cet homme et prit place à la table.
Survint une femme de la ville qui était pécheresse.
Ayant appris qu'il prenait son repas dans cette
maison-là,
elle avait apporté un vase de parfum.

Se tenant tout en pleurs, en retrait,

*à ses pieds, elle les mouille de ses larmes
et les essuie de ses cheveux, les baise longuement
et les imprègne de parfum.*

*À cette vue, le pharisien qui l'avait invité se dit :
« Si l'homme était prophète, il n'ignorerait pas
quelle sorte de femme est celle qui le touche. »
Jésus prend la parole et dit : « Simon, j'ai une
                                        question
à te poser. » – « Parle, maître », répond le
                                        pharisien.*

*« Un créancier avait deux débiteurs, reprend
                                        Jésus.
L'un lui devait cinq cents pièces d'argent, l'autre
                                        cinquante.
Comme aucun n'a de quoi rembourser,
il remet à tous deux leur dette.
Qui l'en aimera davantage ? »*

*« L'homme, me semble-t-il, à qui on a remis le
                                        plus. »
« Tu as très bien jugé », répond Jésus, qui,
tourné vers la femme, déclare : « Regarde cette
                                        femme.
À mon entrée dans ta maison, tu ne m'as pas versé
d'eau sur les pieds. Elle, au contraire, les a
                                        baignés de ses larmes
et les a essuyés de ses cheveux.*

*Tu ne m'as pas donné un seul baiser.
Elle, depuis qu'elle est entrée, n'a pas cessé
de couvrir mes pieds de baisers.
Tu n'as pas imprégné d'huile ma chevelure.
Elle, elle a répandu du parfum sur mes pieds.*

C'est pourquoi, je te le déclare,

c'est parce que tant de péchés lui sont remis
qu'elle a montré beaucoup d'amour.
Mais celui à qui on pardonne peu
n'a pas autant à témoigner. »

Puis il dit à la femme : « Tes péchés sont
pardonnés. » Les convives se demandent : « Quel
est cet homme qui va jusqu'à pardonner les
péchés ? » Lui, dit à la femme : « Ta foi t'a sauvée.
Va en paix. »

(Luc, 7)

Jésus nous dit que c'est parce qu'elle a beaucoup aimé qu'elle est pardonnée. C'est une dimension de la contrition : l'amour s'empare du cœur de l'homme pécheur et lui fait voir avec douleur sa faute. Mais ce texte nous dit aussi que le pardon reçu fait encore croître l'amour : « Celui à qui on remet peu montre peu d'amour. » L'amour enveloppe donc l'acte de demande de pardon : on demande pardon parce qu'on aime, et on aime davantage parce qu'on se sait pardonné.

Je n'oublierai jamais à cet égard cette anecdote. J'avais 15 ans. J'étais depuis peu chef d'une patrouille scoute. Nous habitions à Lyon et nous disposions, à dix kilomètres de la ville, au bord du Rhône, d'une résidence entourée d'un grand parc qui était le lieu de nos vacances. Il y avait vingt minutes de train pour s'y rendre. Nous nous y rendions aussi parfois à bicyclette. Un dimanche, au moment de partir par le train, je dis : « Non, je ne peux pas aller jouer à Irigny, j'ai à 5 heures une réunion de patrouille et il n'y aura plus de train pour rentrer à temps. » Mon frère aîné, en mauvaise santé, me dit alors : « Eh bien moi j'irai en vélo, vas-y par le train et tu prendras le vélo pour rentrer pour ta réunion de patrouille. » Je m'en vais donc à la gare pour prendre le train avec frères et sœurs, quand arrive un autre de mes frères, en retard, courant pour prendre le train, et qui me dit : « Emmanuel finalement ne vient pas, il ne va pas bien. »

J'ai alors piqué une colère monstre. Je suis redescendu du train, j'ai jeté mon billet et je suis rentré à la maison furibond contre mon frère malade. Très imbu de mon importance de chef de patrouille, je dis à mon frère des mots méchants autant qu'injustes, puis je le quittai en claquant la porte et allai m'enfermer dans ma chambre pour m'atteler à mes devoirs.

Mais je ne parvenais pas à fixer mon attention. J'étais totalement envahi par le regret, la honte d'avoir été aussi méchant avec mon frère malade, qui, je le savais, avait été totalement sincère quand il avait dit : « Je viendrai t'amener un vélo. » Ça a été une lutte en moi, jusqu'au moment où j'ai laissé tomber mon travail et j'ai frappé à la porte de sa chambre pour lui demander pardon. Pour mon frère, je suis convaincu que l'affaire n'a pas laissé de souvenir impérissable. Mais pour moi, c'est inoubliable.

Il y a parfois dans la vie de petits événements de ce genre qui semblent dérisoires vus de l'extérieur mais qui peuvent transformer ou illuminer le cœur d'un homme. Et de fait j'étais un autre homme quand nous nous sommes embrassés. Je l'ai laissé dans sa chambre et je suis allé reprendre mon travail. Mais je n'étais plus le même. Quelque chose avait changé en moi, je baignais dans cette espèce de joie qui, j'en suis sûr, est la rencontre de Dieu. Je savourais comme c'est bon d'aimer, d'avoir été capable de faire cicatriser la blessure que j'avais pu causer.

Le pardon donné et reçu fait grandir l'amour et donne à notre cœur une joie incomparable.

Il existe aussi une autre dimension du pardon que nous montre Jésus dans l'Évangile à travers ce passage bouleversant de la femme prise en flagrant délit d'adultère.

Jésus se rend au mont des Oliviers,
mais dès le point du jour le voici de retour
et, comme tout le peuple vient à lui,
il s'assoit et enseigne.

Scribes et pharisiens lui amènent alors
une femme qui a été surprise en état d'adultère.
Ils la placent debout au milieu d'eux et disent à
                                        Jésus :
« Maître, cette femme a été prise en flagrant délit.
Or, dans la loi, Moïse nous commande
de lapider ces femmes-là. Toi que dis-tu ? »
Ils s'exprimaient ainsi pour le mettre à l'épreuve
afin d'avoir matière à l'accuser.

Mais Jésus, se baissant, écrivait sur le sol.
Comme on persistait à l'interroger, il se redresse
et leur dit : « Que celui d'entre vous qui est sans
                                        péché
lui jette la première pierre ! » et, de nouveau,
                                        penché,
il écrit de son doigt sur le sol.

Quand ils entendent cette réponse,
scribes et pharisiens se retirent un à un,
à commencer par ceux qui étaient les plus vieux,
et Jésus reste seul, la femme auprès de lui.

Se redressant, il lui dit : « Femme, où donc sont-
ils ?
Personne ne t'a condamnée ? » – « Non, personne,
Seigneur. »
« Eh bien, reprend Jésus, moi non plus, je ne te
condamne pas.
Va, désormais ne pèche plus. »

(Jean, 8)

Jésus veut nous montrer qu'aucun homme n'est assez pur, assez parfait pour en juger un autre. Seul Dieu pourrait juger et condamner un pécheur. Mais comme Il n'est qu'Amour, Il offrira toujours son pardon à celui qui regrette sincèrement sa faute. Pour Dieu rien en soi n'est impardonnable, même les crimes les plus odieux. Jamais nous ne pourrons sonder les reins et les cœurs et savoir ce qui peut conduire un homme à commettre un crime. Les raisons peuvent être passionnelles (comme dans le cas de Georges, le premier compagnon d'Emmaüs), elles peuvent aussi relever de la maladie mentale ou d'un milieu familial qui a conditionné l'enfant à réagir par la violence.

D'une certaine manière, les progrès récents de la psychanalyse nous permettent de mieux comprendre cette parole du Christ : « Ne jugez pas. » Quel est le degré de responsabilité d'un individu qui commet une faute ? Seul Dieu le sait.

Je pense souvent à la parole du Christ en croix : *Père, pardonne-leur, ils ne savent pas ce qu'ils font.* J'étais récemment à Belfast où un enfant a été tué par une balle perdue (comme on dit) dans la voiture de son père qui l'emmenait à l'école. Une foule s'est rassemblée autour de la voiture. Il aurait suffi d'un rien pour que ça tourne à l'émeute et peut-être à des représailles. Mais l'homme, héroïque chrétien,

sortant de la voiture avec son enfant mort a dit :
« Pardonnez-leur, ils ne savent pas ce qu'ils font. »

Une parole comme celle-là est sans mesure, sans
limites. Cela ne signifie pas pour autant que le crime
doit rester impuni et qu'il ne doit pas y avoir de
justice humaine. Il s'agit au contraire d'être impi-
toyable face au crime. Que des mesures soient
prises, que l'on instaure des tribunaux internatio-
naux pour sanctionner les crimes de génocides, le
trafic des enfants pour exploitation sexuelle, notamment. D'un autre côté, il est nécessaire aussi de
mettre les malades mentaux hors d'état de nuire.
Mais pour porter un jugement moral valable sur les
personnes qui se rendent coupables de tels crimes,
il faudrait avoir le temps de connaître tout leur
passé. Comment en viennent-ils à ce genre de mons-
truosités ? Ne jugeons pas les personnes. Mais, je le
répète, prenons les moyens de les mettre hors d'état
de nuire : le devoir d'une société c'est d'abord de
protéger ses membres les plus faibles.

Je me souviens à cet égard d'un exemple qui,
pour moi, reste extrêmement dramatique, celui de
Tho Morel, dont j'ai parlé à propos de ma prise
d'habit au couvent, et qui était devenu le chef du
maquis des Glières pendant la guerre. Ex-instructeur
à Saint-Cyr, il avait lancé, avec quelques autres offi-
ciers de l'École, un appel à tous ses anciens élèves :
« Le moment est venu où il faut qu'une armée se
constitue pour harceler les troupes allemandes quand
viendra le débarquement. » Et il avait choisi lui-
même ce lieu de montagne qu'il connaissait bien.
Or on découvrit un jour qu'un des volontaires était
un milicien chargé d'espionner le maquis. On le
voyait de temps à autre s'éclipser dans la nuit. Et,
l'espionnant, on s'aperçut qu'il avait caché un émet-
teur radio dans la forêt et qu'il communiquait quoti-

diennement avec la Milice dans la vallée. Selon la
loi de la guerre, il fut jugé pour trahison et
condamné à être exécuté dès le lendemain. Présidant
le tribunal militaire, c'est Tho Morel lui-même qui
condamna à mort l'espion.

Mais, un peu plus tard, il décida de rencontrer
l'homme pour comprendre les raisons de son acte.
Et au cours de la conversation, il découvrit qu'il était
croyant, qu'il était entré à la Milice pour protéger le
monde du communisme, etc. Il passa alors la nuit à
prier avec celui qu'il venait de condamner et qu'il
allait faire exécuter le lendemain.

Le pardon ne fait pas obstacle à l'exercice de la
justice humaine, ces deux ordres de réalité ne sont
pas incompatibles.

Quelques semaines plus tard, Tho Morel a été
assassiné dans un odieux traquenard tendu par un de
ses amis.

Je voudrais finir par une petite anecdote qui,
derrière son côté naïf, montre bien que le pardon est
le fondement ultime de l'espérance. Des parents
fêtent leur quinzième anniversaire de mariage. Ils
ont trois enfants. Ces derniers annoncent : « Il faudra
nous laisser un quart d'heure, parce qu'on a préparé
un drame ! » La jeune fille apparaît, vêtue d'une très
belle robe blanche, mais elle porte sur les épaules
deux couvertures superposées, l'une grise et l'autre
noire. Arrivent les deux petits garçons. Ils causent
entre eux : « Quand même, papa et maman, ça fait
maintenant deux ou trois ans qu'ils sont morts et on
n'a pas de nouvelles, on ne sait pas où ils sont. Il
faut essayer de savoir. Où crois-tu qu'ils sont ? » dit
le premier. « Papa piquait des colères terribles et
maman était gourmande, ils doivent être en enfer »,

répond le second. Ils s'en vont alors frapper à la porte du diable, la jeune fille aux couvertures : « Monsieur Satan, est-ce que vous n'auriez pas parmi vos habitants un monsieur et une madame X, on est leurs enfants et on n'a pas de nouvelles. » Satan va fouiller ses archives et revient en colère : « Foutez le camp, vous me faites perdre mon temps, des X il n'y en a pas chez moi. » La fille enlève sa couverture noire. Les garçons se disent alors : « Peut-être que le Bon Dieu a pensé que la colère, la gourmandise n'étaient quand même pas trop graves ? Allons voir au Purgatoire. »

Ils viennent frapper à la porte : « Monsieur l'ange, est-ce que vous n'auriez pas, parmi vos passagers, un monsieur et une madame X, on est leurs enfants et on n'a pas de nouvelles. » L'ange, gentiment, va feuilleter tous ses registres, revient et dit : « Je regrette mais je n'en trouve pas. Il n'y a pas de monsieur ni de madame X ici. » Les enfants interrogent : « Alors où est-ce qu'ils peuvent bien être ? » L'ange précise : « Dans l'enfer ou au ciel ! » – « L'enfer, non, on en vient, on s'est fait fiche dehors. » – « Allez donc voir au ciel ! »

Ils arrivent au Ciel : « Saint Pierre, est-ce que vous n'auriez pas monsieur et madame X ? » Saint Pierre s'en va très gravement chercher dans son ordinateur, revient et dit : « La famille X, mais bien sûr, ils sont tous là. » Et il ajoute : « Oui, parce qu'ils pardonnaient. » Alors la fille a enlevé la couverture grise, elle était tout en blanc.

Cette petite scène à laquelle j'ai assisté m'a beaucoup touché. À travers leur simplicité, ces enfants ont compris le cœur de l'Évangile, et probablement de ce que dit toute religion profonde : la vie est Espérance, et le sommet de l'Espérance c'est la certitude que Dieu, le Tout-Puissant, l'objet de mon amour est pardon. Et que tout est pardonné à ceux qui savent pardonner.

Table

Composition réalisée par P.P.C.

IMPRIMÉ EN FRANCE PAR BRODARD ET TAUPIN
La Flèche (Sarthe)
LIBRAIRIE GÉNÉRALE FRANÇAISE - 43, quai de Grenelle - 75015 Paris
ISBN 2 - 253 - 14593-9